打つな！飲むな！死ぬゾ!!

サイエンス・エンターティナー
飛鳥昭雄

新型コロナウイルス自体が仕掛けわなであり、
遺伝子組み換えワクチンは、変異株が現れるたびに
何度も打つように仕向けられていく！

飛鳥昭雄はその仕掛けと未来を見破り、
YouTube で発信したが、あっという間に削除された！

それならば、本として発表する！
そう決意したが、パソコン内の原稿データが
またもや削除されてしまった！

この本はまさにそのようなハメに陥った内容を含む
いわば超危険情報である！

超グローバル企業を立ち上げた人間は、超特権階級の仮想世界「リッチスタン（Richistan）」に所属する「ビリオネア（Billionaire）」として、その権力は国や政府を超え、統治者の権限も超えている。

その代表格が「マイクロソフト」の共同創業者ビル・ゲイツであり、妻と慈善団体「ビル・アンド・メリンダ・ゲイツ財団」を興し、コロナ禍の緊急事態に歩調を合わせ、遺伝子組み換えワクチンを開発させ、それを接種させることで世界中の人間の「メモリーB細胞」「メモリーT細胞」の免疫系をゲイツ流に書き換えようとしている。

人工的に加工されたワクチン接種から「B細胞」のメモリーが書き換えられ、そのまま体内に残りつづけ、「COVID19」が突然変異を繰り返す度に「mRNAワクチン」を次々と体内接種する事態に陥ると、最後には確実にヒトの免疫系破壊の連鎖反応が起き、2度と元に戻ることはない。

さらに不可解なのは、世界中の接種者にどんな異常が起きても、ビル・ゲイツ財団と製薬会社への責任は〝緊急事態〟の名の下に完全免責されることだ。「ASKAサイバニック研究所」は遺伝子組み換えワクチンを中世カトリック教会的に「免罪符ワクチン」と名付けておく!!

ヒトが何の保証もない遺伝子組み換えの「mRNAワクチン」を接種するには、その下地となる〝撒き餌〟が必要であった。

それが「新型コロナウイルス／COVID19」であり、その後は「オオカミ少年症候群」でパニックを起こす道具である「PCR検査」を導入した。

「PCR検査」がデタラメの結果しか出さない証拠は山ほどあるが、日本人に最も分かりやすいのは、冬場に大流行する「インフルエンザ患者」がほとんど現れないことである。

基本的に「ＰＣＲ検査」は陽性、疑似陽性を弾き出す欠陥検査であり、「ＰＣＲ／ポリメラーゼ連鎖反応（polymerase chain reaction）」の発見者キャリー・バンクス・マリス自身が、ＰＣＲ自体は正しいが検査に用いるのは狂気の沙汰としている。

そもそも「ＰＣＲ検査」は「ウイルスの死骸をカウントする検査」と知るべきで、大気中に一体どれほどの種類と数のウイルスと細菌と花粉が浮遊し、呼吸の度にそれらを取り込んでいるかを思い出すべきだ。

ＣＩＡに全面協力するビル・ゲイツは、毒性がほとんどなく拡散力だけが強い「ＣＯＶＩＤ19」を創り、それを中国の「春節大移動」を利用して世界に拡散させた。

その見返りにビル・ゲイツが得るのは「メガ診断プラットフォーム」を世界中に配置する「パンデミック・アラートシステム」の独占であり、ロックフェラー財団をバックにした「パンデミック・ビジネス」の世界支配権である。

カバーデザイン　上田晃郷

打つな！飲むな！死ぬゾ!!◆目次

Part 1 コロナをなめるな！ これは人工（バイオ）兵器である!!

Part 2 コロナパンデミックの裏で「ゲマトリア」によって犯人が表示されていた!?

Part 3 ビル・ゲイツと米軍の策謀が見えて来た！

Part 4 朝鮮民族による日本統治（在日支配）のカルト度数

Part 5 古来からの伝統食が日本人を救っていた!?

Part 8

GHQが日本に施した新奴隷制度がコロナ禍で完成する！

Part 9

ワクチンは打つな！ 飲むな!! 死ぬゾ!!

Part 10

ＤＮＡワクチンの遺伝子配列の中に時限爆弾が仕掛けてある⁉

Part 11

子供にワクチン連打！ 打たなければ親も子も非国民‼

写真　アフロ（オリオン座大星雲）
校正　トップキャット
本文仮名書体　文麗仮名（キャップス）

Part 1

コロナをなめるな！
これは人工（バイオ）兵器
である!!

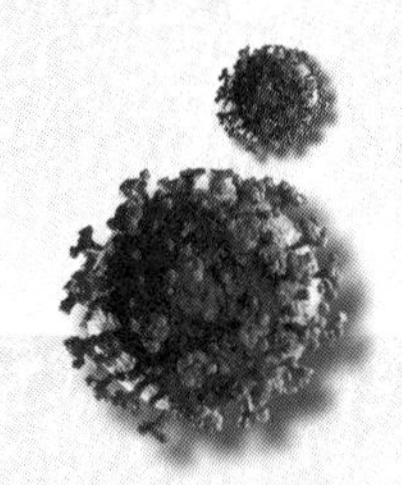

世界の覇権国アメリカから成り上がり中国に放たれた「COVID19」の実弾!!

習近平支配下の中国は、「新型コロナウイルス」の情報は全て中国共産党が握るため、まともなデータが世界に出てくるはずがない。

「2020年3月10日に習近平同志が訪れて下さった武漢で奇跡が起こり、3月22日まで5日連続で新たな感染者が出なくなった!!」と武漢の保健当局が中国の最高指導者を絶賛した。

ところが中国の情報など全く信用できないのは周知の事実で、「地方当局者は新たな感染者を1人でも出せば処分する!!」と通達され、陽性反応が出た感染者で症状が軽い者は数にカウントしない数字操作をやっていた。

一党独裁体制を敷く習近平の所には官僚から耳障りのいい忖度（そんたく）した情報しか上がってこない。

2020年3月27日、感染者0を喜んだ習近平は一刻も早く中国の偉大さを世界にアピールするため、武漢の「都市封鎖／ロックダウン」を解除する……。

それは同時に湖北省内全ての都市の封鎖開放を意味し、結果、武漢だけで人口１１００万人、湖北省全体では６０００万人が一斉に解放された。

3月27日、移動制限を解かれた西寧市の住民約数千～1万人が、大挙して湖北省から江西省に移動しようと高速道路橋に殺到し、入境を拒んだ江西省の検問警察官と大衝突、湖北省の警察官40名が江西省の検問警察官に殴り掛かり、一方の江西省側も大勢の警察官を投入、対する湖北省側も警察官を大量に乗せた大型バス2台を投入した。

この大混乱の背景にあるのは習近平体制への〝強い不信感〟であり、西寧市の市民が大挙して江西省に移動した理由も、西寧市最大の病院が「感染者0（ゼロ）」を共産党に報告するため、ウイルス検査を停止したからで、自分が感染しているか否かを江西省の病院で検査してもらうためだった。

武漢を含む湖北省の開放が恐ろしい結果を招くことを中国人は本音のところではよく知っていたのである……。

習近平が世界に向けて成功をアピールする目的で決行される「ロックダウン解除」で、症状の〝軽い陽性反応感染者〟が大量に中国全土（世界を含む）に拡散することになった!!

当時のトランプ元大統領による「米中貿易戦争の中国敗北」、足元の「香港の反乱」、目の上のたん瘤の「台湾の離反」、風呂敷を広げ過ぎた「一帯一路の失敗」、世界中の5Gを乗っ取り制覇する「ハーウェイ戦略の失敗」、武漢から始まった「新型コロナ・ショック」、米中貿易戦争による「経済崩壊」、企業倒産と失業による「株価大暴落」。これらで一気に尻に火が付いた全人代は、せめて中国経済崩壊を食い止めることを最優先に、「新型コロナウイルス」のデータを改ざん、ウイルスが渦巻く中で、企業経済活動を再開させるしかなかったのである。

さらに怖ろしいことに、重機の大量投入で木々を切り崩して建てた巨大な「プレハブ大病院」を、必要がなくなったとして閉鎖してしまった。

２０２１年1月12日、中国でイギリス変異型コロナが発生して、北京では大騒ぎになった。人口約５００万人の廊坊市を封鎖、他の複数の都市も厳しい移動制限を課すロックダウン（都市封鎖）を決行した。

一年前、「プレハブ大病院」が消えた武漢では、退院後に再び陽性になった者は自宅隔離しかなく、「ロックダウン解除」と共に彼らが武漢を歩き回った結果、「感染第2波」が発生する可能性があり、案の定、２０２０年4月１日、感染の中心だった湖北省と隣接する64万人規模の町で「新型コロナウイルス第2波」が発生した。そのため、町全体が封鎖される事態に陥っている。

２０２０年3月21日、中国はアメリカとヨーロッパから帰国する中国人学生41人の感染を確認したと発表、ロシアから帰国した中国人の感染も確認、ロシアとの国境となる黒竜江省での増加が目立つと発表した。

ロシアなど外国からの「逆流」が相次いだ中、結果として当時の1日当たりの新規感染者が再び１００人を超え、中国はそれをアメリカや日本など外国のせいにする。

このことから習近平は「感染第2波」の原因を共産党の失策ではなく、日本を含む諸外国からの「逆流」が原因であるとすり替え、中国も欧米と同じように新型コロナの被害者を装った。

後に中国が「covido19」の遺伝子配列を率先して世界に向けて公開したと胸を張るが、実際は大嘘で、中国政府が公開を拒否したため、ゲノム配列を公開したのは欧米の共同研究グループだった。

アメリカで拡大した「新型コロナ」による感染死の謎？

２０２０年3月13日、トランプ政権下のアメリカ政府は「新型コロナウイルス」に対し『国家非常事態／National Emergency』を発令する!!

『国家非常事態宣言』は１９４１年12月８日（ハワイ時間12月７日）の「真珠湾攻撃」と、２００１年9月11日の「９・11同時多発テロ」しか発令がなく、アメリカが戦争状態に突入したことを意味した。

２０２０年４月中頃、アメリカの感染者数は52万人を超え、死者は２万人を突破、人口密度が高いニューヨーク市はホームレスなど身元不明者の遺体を、ロングアイランド湾に浮かぶ離島「ハート島」に長い穴を掘り棺桶を並べて埋める集団埋葬を行った。

一方の日本は当時の安倍政権の下、「学校封鎖」では鈴木直道北海道都知事に出し抜かれ、「緊急事態宣言」でも小池都知事の対処の方が迅速になされていった。

一方の当時のトランプ大統領は「新型コロナウイルス」を中国発（または中国製）とア

ピールするため、「カンフー・ウイルス」「チャイナ・ウイルス」を連呼、アメリカ人の中国に対する姿勢は極めて険悪となった。

マイク・ポンペオ（当時）国務長官も「こういう事態は、あくまで〝武漢コロナウイルス〟が引き起こした結果である!!」とし、「中国政府の対応はアメリカの透明性、開放性、情報共有による対処法と全く異なる!!」と中国の隠蔽体質を非難した。

そんな中、アメリカの「中国攻撃第2弾」が発令される。2020年4月、「アメリカ議会上院」の席で共和党のリンゼイ・グラハム議員が中国に対し「損害賠償請求案」を提出したのである!!

「中国政府の隠蔽工作と虚偽情報発信が今の世界規模のパンデミックを引き起こした!!」

「中国発祥の新型コロナウイルス感染により被害を受けた全諸国は、中国政府へ責任を追及し、その被害への賠償金を払わせねばならない!!」

「アメリカへの支払いが困難なら、現在、中国政府が保有するアメリカ国債を放棄させる方法がある!!」

共和党のマーシャ・ブラックバーン議員も「アメリカ政府と民間企業は、中国政府に対し賠償金支払いを要求する権利がある!!」と主張した!!

アメリカで始まった大きな「中国バッシング」の流れは、当時の世論調査でも明らかである。「ハリス世論調査」では、約2000人を対象に「新型コロナウイルス全米世論調査」を決行、一般のアメリカ国民の圧倒的多数（77%）が「新型コロナウイルス」の拡散について、中国共産党に全責任があるという結果が出た。

「カリフォルニア大学バークレー校」のジョン・ユー法学部教授と、ワシントンD.C.の大手研究機関「AEI」の国際法専門部のイバナ・ストラドナー研究員が共同発表した「巨額の賠償金を中国にいかにして支払わせるか⁉」の論文がワシントンの政治外交誌『ナショナル・レビュー』（2020年4月6日号）に掲載された。

「中国政府は新型コロナウイルスが発生した事実、感染者の数、症状を意図的に隠蔽、歪曲し、他国への拡散を許した結果、アメリカでは死者2万人（2021年1月時点では死者は40万人強）、損害額は数兆ドルに達するため、その全額を中国は支払わねばならない!!」

「中国政府が個人、企業、あるいは国際法を守る国家であるなら、各国への被害における賠償から逃げられないはずで、国際法からみて、中国政府の言動は法的な責任と債務を追及されて然るべきだ!!」

「中国が国際法の規範、規則を順守しない場合、アメリカは自国の国益の追求のため、独自のメカニズムを構築して中国の責任を追及する!!」

「アメリカ政府は中国政府が保有するアメリカ国債、一帯一路の諸国融資からの融資金を取り立てる一方、中国国有企業の対外資産、政府要人の海外資産の凍結を決行する!!」

「中国がWHO（世界保健機関）を支配し国連規則に違反したため、国際司法裁判所と国連安保理で法的に中国を追及する!!」

トランプ政権下のアメリカは本気で中国を叩き潰す行動に出てきたのである。アメリカと中国の間に挟まる日本の未来に待ち受ける運命が見えてこないだろうか。

このウイルスの感染特性は「人為的」以外にあり得ない!

2021年も問題視される「新型コロナウイルス」の感染でやり玉に上がる〝密閉空間〟が、居酒屋、小会議室、カラオケ、バー、ロフトと数え切れないが、それは微細な飛沫が漂う「エアロゾル」を防ぐためで、研究実験の結果「咳」「クシャミ」ではなく通常の会話で結構な量の飛沫が飛び交うことが分かった。

そこで最も懸念されるのが「電車」「バス」「旅客機」「船舶」等の交通機関で、「エレベーター」もOUTなら顔を近づける「占い」「家庭教師」も全てOUTになる。

特に「電車」は通勤ラッシュの状況から完全にOUTで、たとえ対面で話さなくても誰かが「咳」「クシャミ」をしたら飛沫が満遍なく車両内に飛び散り多くの乗客が感染することになる。

結果、自宅勤務の「テレワーク」が急激な伸びを示したわけで、「飛行機」は天井部分から床に向け風が流れる空調が行き届いているため比較的安全で、「新幹線」は自粛要請が出た結果で、1車両に数人しか客がいない状態となり、空調が飛行機並みでなくても皮肉な意味で安全な車両環境となった。

2020年に「ロックダウン（都市封鎖）」したアメリカのNYの光景から気付くのは、当局の人間が「マスク」だけでなく透明の「使い捨て手袋」を使う光景だった。

当時の研究から「新型コロナウイルス」は空中で数時間ほどで死滅するが、衣服や物に付着すると急に生存率がUPし、特に台所のシンクなど金属ステンレスに付着すると寿命が「3～4日」あるいは「4～5日」も伸びることが判明し、家庭の台所が家庭内汚染源になると恐れられた。

さらにAmazon等のネットで生活必需品を注文すると必ず届く「段ボール」だが、ここで3日以上もウイルスは生存し、そこに付着して家に入り込み家族ごと感染させる危険性が出てくるという。

今、世界中の医療関係者の間で取りざたされる話題は、自宅待機が徹底されてマスク着用が広まっても感染率が下がらない理由として、金属やパッキンケースに付着して生存する「新型コロナウイルス」の新戦略とでも言うべきものがあげられる。まるでウイルスに意思があるかのような戦略である。

さらに最も恐ろしい戦略がある……「新型コロナウイルス」は強酸の胃液でも死なず、そのまま腸に入って炎症を起こし、さらに「便」の中に隠れて外に出て来ることである!!「公衆トイレ」で便を流すと、思っている以上に水が飛散してトイレの壁に「新型コロナウイルス」が付着することも確認され、偶然とはいえまさに現代生活に適合したかのようだ。

このようなウイルスは自然界ではほとんど確認されず、人間が関与した「バイオ兵器」の可能性が極めて高くなるが、日本の学者や専門家はずっと「遺伝子組み換えバイオ兵器は都市伝説」と馬鹿にしてきた。

こういう輩は総じて〝想定外〟として責任回避するが、「9・11」以降もこの手の連中は何があっても「陰謀論」を嘲笑しつづける。

それはそれとして「新型コロナウイルス」の対策だが、「直接接触感染」を防ぐにはウイルス対応の「除菌ペーパー」を使うしかなく、特にステンレスのドアノブは始終拭う必要があり、コーティング機能を強化した「除菌スプレー」が効果的となる。

とはいってても入手できないときは、薬剤師などが指導する「キッチンハイター」を水で薄めて使えば、雑菌と一緒にウイルスも殺すことができる。

ここまで話しても最大の懸念がまだ二つ……「新型コロナウイルス」が突然変異する確率が「インフルエンザ・ウイルス」の15倍という懸念の中、コロナワクチンが役に立たない事態が想定できる。

さらに胃液でも溶けない「新型コロナウイルス」の外壁の厚さが、感染しても中々発症が確認できない理由なら、それは人の近代生活に見合うよう相当計算し尽くされた「バイオ兵器」であり、想定する以上に長く付き合うウイルスになるかもしれない。

となると単に〝中国潰し〟の目的だけに開発された「バイオ兵器」ではないことになる……。

安倍内閣の対応、昭恵夫人の行動は不快で不可解！

「新型コロナウイルス」蔓延の当時から、日本では「新型コロナウイルス」の感染者数が諸外国より圧倒的に少ない理由は、「ＰＣＲ／核酸増幅法」を本気で導入してこなかったからとされた。

当時の安倍内閣の中国人大量受け入れ（２０２０年４月当時も入国規制発令中であるにもかかわらず、中国人を大量に流入させていた）の愚策と、「アベノマスク」に見られた訳が分からない政策、さらに日本の〝王（私が国家です）〟を自称する安倍晋三の顔色を見るしかない自民党、それに「政教分離」の憲法違反で自民党のコバンザメとなっている「公明党」。これらは皆共犯とされても仕方がない。

要は、諸外国と負けないほどの感染者がいるにもかかわらず、「ＰＣＲ検査」を本格的に導入しないため、実質的な数が出てこないと当時は考えられたのだ。

そんな中、最も困ったのが医療現場の医師や看護師で、仕方なく軽症者を自宅待機にする「トリアージ」で対応するしかなくなった。

当時、東京都は医療専門チームと話し合い、軽症、中等症、重症、重篤、死亡の5段階に分類する「傷病者重症度分類表」を作成し、ホテルなどに軽症入院患者を移動させる手段に出ることになる。

その直後、安倍晋三がＴＶに登場し、最初からこれを想定していたので「ＰＣＲ検査」を急がせなかった的コメントを全国に向けて流した……自分の成果と世界に向けて自画自賛したわけだが、当然ながら「アベノマスク」同様に世間の笑いものになった。

初期対応を怠った安倍内閣で、日本中がコロナ化の大混乱に陥りつつある中、安倍の妻・昭恵夫人は２０２０年3月下旬、人気モデルの藤井リナとアイドルグループのＮＥＷＳの手越祐也らと一緒に高級レストランで会食、その後「桜見物」を楽しみ、さらには50人のお仲間と共に「宇佐神宮」（大分県宇佐市）を参拝する等、まるで国民の上に君臨する女王陛下の感覚で日々を送っていた。

そんな日本で、コロナ感染による重傷者や死者数が欧米より圧倒的に少ない理由が幾つか出揃っていた。

まずは日本人がよく飲む「茶」、特に「緑茶」に含まれるカテキン「エピガロカテキンガレート」（紅茶にはない）が強い殺菌力でウイルスも殺すことである。

次に、日本人がよく食べる「海藻（昆布・ワカメ・海苔）」に含まれる「フコイダン」が免疫性を持つ「サイトカイン」の発現パターンを変化させ、重症化を防ぐことが判明。また、日本人の好きな「豆腐」の材料である大豆が「抗ウイルス作用」をもつため、典型的な日本の朝食が日本人の重症化を助けているとされた。

もちろん、日本人の「マスク好き」、「花粉対策」、「手洗い習慣」、「風呂好き」もあるだろうが、結核予防の「BCG接種」が一因ではないかというデータもある。

2020年4月9日時点で、EU内でBCGを受けていないスペインの感染者数14万6690人のうち死者数1万4555人なのに対し、摂取している隣国ポルトガルでは感染者数1万3141人に対して死者数380人と圧倒的に少ないのである。

BCGは「結核」を防ぐため日本では2013年以降1歳までにBCGを一回接種することになっているが、70歳以上の「団塊の世代」では、子供の頃に打ったBCGの効力は既に消えており、疾病がある状態で「新型コロナウイルス」に感染すると死亡する可能性が高くなってくる。

他にも注目されたのが、日本人の「玄関で靴を脱ぐ」習慣である。

「CDC／アメリカ疾病管理予防センター」の雑誌『Emerging Infectious Diseases』（2020年7月号）は、武漢の病院の床で「新型コロナウイルス」が無数に広がり、集中治療の医療従事者が靴底で「新型コロナウイルス」を運んだ結果「薬局フロア」の床は100％汚染されていたと報告した。

靴底が「新型コロナウイルス」の汚染源となり、それが固い床にへばりつくと、ウイルスの寿命は空中の数倍長くなり、最長で12時間以上留まって生存するという。

欧米人の多くは靴を履いて自宅で過ごすため、家庭が汚染基地と化すが、一方の日本は靴を脱ぐ習慣があるため、家庭が接触性の汚染源になる可能性は少ない。

ヨーロッパでも永世中立国のスイス、北欧のノルウェーとスウエーデンでは靴を脱ぐため、2020年の段階で「新型コロナウイルス」の感染者は少なく、一方、日本と同じ靴を脱ぐ習慣がある中国と韓国では感染者数が多いため、「BCG接種」以外に日本人の食生活が死者数の少ない理由とされた。

それなら団塊の世代の高齢者が「保健所」に行きBCGを新たに接種すればいいかとなると、BCGの効力は15年ほどしかなく、20歳以上のBCG接種の効果が証明できないため拒否されることになる。

となると、「新型コロナウイルス」が肺を汚染した後、細菌（バクテリア）も加わり肺機能を停止させるのを防ぐには、5年の免疫機能をもつ「肺炎球菌ワクチン」を打つことが必要かもしれない。

事実、コロナ禍以前の老人の肺炎死は圧倒的に多かったが、これが今回の「コロナパンデミック」のトリックを暴く切っ掛けとなる!!

Part 2

コロナパンデミックの裏で「ゲマトリア」によって犯人が表示されていた!?

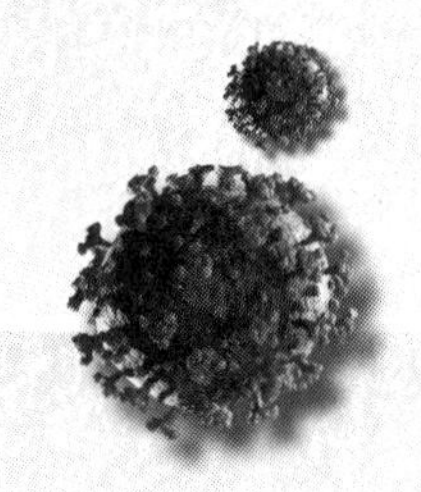

世界的パンデミックで米国が「大コウモリ」の25セント記念硬貨を発行!!

南太平洋「オセアニア（大洋州）」のほぼ北にある「サモア」は、ポリネシア系住民が住み、西の「ウポル島」と東の「サバイイ島」に分かれている。

正確には西経171度から西を「サモア独立国」、東を「アメリカ領サモア」といい、アメリカ領サモアの「アメリカン・サモア国立公園」に生息するのが大型の「サモアフルーツコウモリ」である。

「フルーツバット」の名が示すように果実を食すが、自身も食される〝食用コウモリ〟である。

「サモアフルーツコウモリ」の同種はインドネシアから中国南部に棲息し、その多くは「串焼き」「姿焼き」「姿煮」にされて頭から内臓まで残らず食べられる。

2002年の「SARS／重症急性呼吸器症候群」は中国の食用コウモリが感染源で、2014年の西アフリカ発祥の「エボラ出血熱」も「ウマヅラコウモリ」「フランケオナシケンショウコウモリ」のウイルスが発祥とされている。

現在、世界中を「パンデミック（感染爆発）」に陥れている「新型コロナウイルス」は、一時、中国の武漢市場に売られたコウモリが原因とされ、火を通さずに食べる周辺住民の生肉好きの習慣から「新型コロナ」が発祥したとされた。

「新型コロナウイルス」によるアメリカの感染者数は82万5183人（2020年4月22日）から2021年1月25日で2503万1463人となり、死者数も4万5070人（2020年4月22日）から2021年1月25日で41万7902人に大激増した。

この数字のトリックは後に明らかにするが、そんな最中の2020年の春、「アメリカ合衆国造幣局」が不可解な「25セント記念硬貨」を発行した。

2010年から始まった「America the Beautiful Quarters Program／アメリカ・ザ・ビューティフル25セント硬貨」の一環で、2020年度も5種類の記念コインが順次発行され、その中で2020年3月発行の25セントコインの裏に「親子のサモアフルーツコウモリ」がレリーフされている!!

一体これは偶然なのか？

よりによって世界中にパンデミックが拡散している最中、新型コロナを媒介するとされる食用コウモリの一種「サモアフルーツコウモリ」がなぜ描かれたのか？

関係者の話では、「地球温暖化」と「商業狩猟」で絶滅危機に瀕する「サモアフルーツコウモリ」の保護に危機意識をもってもらう目的だったという。

仮にアメリカが何らかの意図で「新型コロナウイルス」を中国に持ち込んだのであれば、少なくとも1年前からコインのデザインを仕込まねばならない。

今の日本人には理解できないかもしれないが、アメリカは尋常ではないほど「韻（いん）」を踏む国で、ホワイトハウスを支配する「アシュケナジー系ユダヤ」はユダヤ人の「ゲマトリア（数秘術）」で「韻」を踏んで世界を仕切ろうとする。

例えばアメリカが独立した「1776年7月4日」のゲマトリアは、「1776」の「1＋7＋7＋6＝21」で「21」が顔を出し「2＋1＝3」で「3」に行き着く……

一方「7月4日」で「7＋4＝11」の「11」が出てきて、1776の「3」と合わせた「3・11」が出て「東日本大震災」がアメリカが起こした〝人工地震〟の可能性が顔を出してくる。

さらに「11」は「1＋1＝2」の「2」で、指をV字型に2本立てる「victory（勝利）」

の「フィンガー・サイン」となり、「3・11」のゲマトリア「3＋1＋1＝5」の「5」で五体のヒト型（星形）の「星条旗」が出てくる。

同様に「2001年9月11日」の「9・11／アメリカ同時多発テロ」も、「2001」は「2＋0＋0＋1＝3」で「3」、「9・11」は「9＋1＋1＝11」の「11」で「1＋1＝2」の「2」からやはり「victory」が含まれ、それぞれの最終数「3」「2」から「3＋2＝5」の「5」が出て「ヒト型（星形）の国（星条旗）」の自作自演と判明する。

今回の25セントコインも、「25」は「2＋5＝7」の「7」で、アメリカで25セントは「quarter／クオーター」といい、分数の「quarter＝4分の1」はゲマトリアで「1×4＝4」「4÷1＝4」のどちらでも「4」となり、「7」「4」から「7月4日」のアメリカ独立記念日が顔を出してくる。

さらに「7＋4＝11」の「11」で「1＋1＝2」となり、やはり「2」の「2本指＝Vサイン」から「victory」が仕掛けられている。

実際、アメリカの教育制度の「4学期制」を「quarter」といい、独立記念日を4日にする国が「新型コロナウイルス」を仕掛け、「サモアフルーツコウモリ」を25セントに仕掛ける「韻」を踏んでいることになる。

アメリカの神話とされる「ロズウェル事件」も同様に、事件が起きた「1947年7月

4日」はアメリカの独立記念日で、「1947」は「1+9+4+7=21」の「21」から「2+1=3」の「3」が出て、独立記念日の「7月4日」から「7+4=11」の「11」から、「3」「11」の「3・11／東日本大震災」が出てくる。

さらに「3・11」のゲマトリアから「3+1+1=5」で「5」が顔を出し、やはり「ヒト型（星形）の国（星条旗）」が出てくるのである。

最終結論だが、「25セント記念硬貨」から「新型コロナウイルス」が武漢製ではなく、アメリカ領サモアの「サモアフルーツコウモリ」から培養された遺伝子組み換えの「バイオ兵器」と匂わせている!!

これをただの「数字遊び」と言うのは簡単だが、数秘術「ゲマトリア」で世界支配を企てるアメリカは、アシュケナジー系ユダヤが必ず「韻」を踏むため〝尻尾〟も必ず見えるのである!!

日本で「COVID19」が消滅し突然変異した別形態の「COVID19」が拡大中!!

2020年の春、日本国内の「新型コロナウイルス」が消滅した……とは一体どういうことか？

4月28日、「国立感染症研究所」は集団感染が起きたクルーズ船「ダイヤモンド・プリンセス号」を切っ掛けに蔓延した「COVID19」が日本から消滅したと発表したのだ!!

中国から大量にやってきた観光団によって蔓延した武漢型の「ウイルス株」は、4月の時点で日本で検出されなくなっていたのである!!

その代わり、日本中に感染拡大する「COVID19」はアメリカとEUで流行する「ウイルス株」を起源とする「COVID19」であるという。

「感染研」は「地方衛生研究所」の協力を受け、感染者から採取した「COVID19」の「ゲノム配列」の違いを解析した結果、武漢から1～2月に国内に入った「第1波」は日本では既に封じ込めに成功していたのだ。

それについて「感染研」は、欧米から流入した「ウイルス株」を起源とする「第2波」が日本中に拡散しているという。

だが、ＥＵやアメリカから大量の観光客が「ダイヤモンド・プリンセス号」の事件以降、日本にやって来たのだろうか？

既に3月の段階で日本を訪れた外国人旅行者は、前年同月比の93％減で、東京を含む全国規模の「アウトブレイク／感染爆発」を起こせたとは到底思えない。

「インフルエンザ・ウイルス」の15倍の長さを持つとされる「ＲＮＡ」が、インフルエンザの15倍の速度で欧米と一緒に突然変異したというほうが理にかなう。

それだけでも「人工（バイオ）兵器」の証拠だが、これほど異常な速度で〝変身〟するウイルスは過去に一度も発生しておらず、仮に「ワクチン」が完成しても、別の形態にウイルスが変異すれば、登場したワクチンは役に立たない可能性が出てくる。

そのことで２０２０年の春の段階で、イギリス国内では既に「別の形態」の兆しが見えはじめていた……。

２０２０年4月28日、イギリス首相官邸で「ＣＯＶＩＤ19」について、マット・ハンコック保健・社会福祉相が緊急記者会見を開いた。

イギリス国内ではそれまでほとんど報告されなかった子供への「ＣＯＶＩＤ19」の感染

が増えているというのだ。

4月28日、ハンコック保健・社会福祉相は「非常に憂慮すべき状況だ」と述べる一方、追跡調査が必要としながら「このようなケースは現時点では非常に稀と思われてきた!!」と口をゆがめた。

イギリスの「NHS／国民保健サービス」に、子供たちが腹痛以外に〝心臓周辺の炎症〟という特異な症状を呈する報告が届いていたという。

イギリスの医療専門紙「ヘルス・サービス・ジャーナル／Health Service Journal」は、そのような罹患(りかん)を要する子供たちは重篤化する可能性があり、集中治療を要するかもしれないと記している。

マット・ハンコック保健・社会福祉相は、ラジオ局「LBC」に対し「今はまだ稀とはいえ、重大疾患を起こす自己免疫反応の影響が子供にも現れ始めた報告は非常に憂慮すべきだ」と認めた。

さらに「これは本来COVID19による別パターンの疾患で、新たに引き起こされた症状の可能性もある」と付け加えている。

最大の問題は子供が全て「COVID19」の陽性を示さないことで、陰性の子供にも発生する点が不気味だという。

高級紙「ガーディアン／Guardian」も、報告されている子供の症状は12件にとどまるが、この先はどうなるか分からないとした。

以前から危惧するように「ＣＯＶＩＤ19」は短期的に〝突然変異〟を起こして変異するため、新たな変異体に何度も感染しつづける可能性もある……が、２０２１年の段階ではウイルスの毒性はほとんどなく（一説では少し毒性が強くなるというが証明されていない）、拡散力が数倍強くなったとされている。

体内に異常な血栓を作る事例が多発しだした!?

「新型コロナウイルス」は、アメリカが開発した「ゲノム兵器（人工ウイルス）」であり、日本の「アメリカ大使館（極東ＣＩＡ本部）」が武漢でばらまいた後、武漢市全体に拡大、アメリカが目論んだ通り、中国共産党の閉塞性と巨大官僚構造が災いして瞬く間に中国全土から世界へと拡散した。

ところが、この「ＣＯＶＩＤ19」は当初から不可解な動きを見せていた。

「PCR検査」で陰性だったが突然陽性に変化したり、陽性後に完治して家に戻っても再び陽性反応を示して重篤化する老人が出たり……以前の「SARS／重症急性呼吸器症候群」とは違う不可解な反応を見せていた。

それでも当初は「老人」と基礎疾患の「疾病患者」が命を失っても、若者や子供はほとんど影響がないとされてきたが、2020年の段階で若者世代から働き盛りの世代の変化が報告されるようになった。

それも「軽症」「無症状」とされた30～40代が中心で、初めは皮膚に赤い染みが現れたかと思うと、ある日突然「心臓麻痺（心筋梗塞）」「脳溢血」「脳梗塞」を起こすという。

この現象は欧米の若者の間で徐々に起き始め、症状は足の指先が如実で、「新型コロナウイルス」の感染者の足の指に「しもやけ跡」が起きると致命傷に発展するという。

赤い染みは「内出血」で、「COVID19」が肺から血管に入り、血液に乗って全身を巡る際、血管内壁に付着して異常を引き起こすとされる。

2020年に欧米で猛威を振るった「EU型」に変異した「COVID19」に悩まされたスペインの皮膚科医 ファン・ガビンは、この不可解な症状を「Covid toes／コロナのつま先」と名付け、スペインでは若者対象に何百件も症状が起きていた。

「赤い斑点」は手足の甲（こう）にでき、やがて「青」か「黒」に変わり、時には「首」にも現れ、若者世代は発熱症状の2～3週間後に皮膚に異変が現れるという。

明確な原因は不明で、「ＥＵ型」に変異した「ＣＯＶＩＤ19」が血管内壁を破壊すると、そこに「血栓」ができ、それが剥がれて心臓に流れれば、若者であっても「心筋梗塞」で死亡したり、脳へ流れれば「脳梗塞（脳溢血）」で死亡するという。

若くても疾病や持病があれば、それが要因で「合併症」を起こし、それまで元気だったが翌朝死んでしまう「ポックリ病」を起こす可能性がある。

これはアメリカの30～40代で軽症か無症状の「新型コロナウイルス患者」にも起き、アメリカでもわずかとはいえ「脳梗塞」を起こす症例が出ていた。

アメリカの「マウントサイナイ医科大学病院」の日本人医師の重松朋芳助教は、アメリカで起きている「軽症」「無症状」の働き世代を襲う現象について以下のように分析している。

「リスクが全くない症例でも、脳梗塞が見つかったので非常に驚いている」

「新型コロナウイルス特有の症状と思われる」

「新型コロナウイルスが血液を固まりやすい状況を生み出して異常な血栓を作り、脳梗塞を起こすと考えられる」

重松朋芳助教は、以前に「脳溢血」「脳梗塞」を起こした人は、再検査と予防措置を取るように警鐘を鳴らした。

日本でも「COVID19」に感染しても「軽症」「無症状」で済んだ働き世代が、突然「心筋梗塞」「脳梗塞（脳溢血）」で倒れる危険性があり、いまだに「COVID19」を老人の病気と考えていると大変なことになると警告した。

が、どうやら日本人には不可解な〝免疫〟があるようで、欧米の若者や子供に起きるような症状は起きたとしても極めて稀で、「京都大学」のiPS細胞発見の山中伸弥教授は、謎の免疫力を「ファクターX」としている。

ますます強まる「中国VSアメリカ・ウイルス戦争」の様相

2020年4月30日、アメリカで「新型コロナウイルス感染症（COVID19）」に関する重大発表が、ほぼ同じ頃に2か所で行われた!!

問題は、それが非常に重大な内容であるにもかかわらず、その意味が全く両極端というほど違ったものだった点である。

一つはドナルド・トランプ（前）大統領のコメントで、前々から「COVID19」を「武漢ウイルス」と名付けるよう「WHO」に圧力をかけていたが、今回の世界的な「パンデミック（感染爆発）」について、その発生源を徹底調査するよう「アメリカ情報機関」に命じたところ、武漢の生鮮市場に近い「武漢ウイルス研究所／Wuhan Institute of Virology」から流出した証拠を見つけたという。

記者から「発生源が武漢という強い確信となる証拠を見たのか？」の問いに、トランプ大統領は「そうだ、見た!!」と答えた。

そこで記者たちが「その証拠について詳しく説明してほしい」と迫ると、トランプ大統領は「これ以上は話すことはできない!!」と撥ねつけたのだ。

そこで記者が「アメリカが中国への制裁となる債務返済中止の可能性は？」と聞くと、トランプ大統領は「違うやり方をする!!」と述べ、新たな対中関税を課す可能性を示唆した。

一方、同じ頃の発信で「ODNI／アメリカ国家情報長官室」の発表は、懸念される「COVID19」について中国が起源ではあるが、「人工的なものでも遺伝子組み換えで生まれたものではないという結論に達した!!」と発表した。

さらに「ODNI」は、「全情報機関は一貫して中国を起源とする新型コロナウイルスに対処する我が国の政策立案者に重要な情報を提供してきた」とした上で「情報機関は新型コロナウイルスを人工的なものでも遺伝子操作されたものでもない科学的コンセンサスと一致する見解を持つ!!」と述べた。

この両方の発言を併せると「COVID19の発生源は中国の武漢ウイルス研究所から漏れたウイルスだが、自然界のコロナウイルスだった……」となるが、それなら「武漢ウイルス研究所」は何もせずに延々とコウモリを宿主とするウイルスを見つめるだけの施設となり、研究所ではあり得ない矛盾を抱えることになる。

以前、中国のアメリカ大使館員が「武漢ウイルス研究所」に招かれた際の報告書があり、「人間に感染するコロナウイルスを研究している(名目は予防のため)施設であること」、「施設から1000キロ離れた雲南省の洞窟で捕獲したコウモリを使っていること」、「人材的に難がある施設であること」がワシントンに報告されており、建設に協力したフランスの技師は人材レベルに難があると報告している。

不可解なのは、問題となった「武漢魚市場」から20キロも離れた「武漢ウイルス研究所」以外に、魚市場から280メートルに建つ「武漢疾病予防コントロールセンター」の存在が隠されていることだ!!

ここもウイルス研究施設で、600匹超のコウモリを実験用に飼っており、研究員の一人がコウモリに攻撃された際、コウモリの血液と尿が身体にかかった出来事が起き、その職員は2週間の自宅待機を行ったという。

その時のゴミがウイルス流出の原因になった可能性があり、最初に「新型コロナウイルス」に気付いた眼科医の李文亮（リブンリョウ）医師の勤務する医院は「武漢疾病予防コントロールセンター」のすぐ側だった。

これらを加味してアメリカ側の両方の公表を見ると以下のようになる。

「武漢ウイルス研究所から流出した証拠を見つけた」⇩「武漢疾病予防コントロールセンターの存在を隠してやった」

「新型コロナウイルスは人工的なものでも遺伝子操作されたものでもない」⇩「中国が研究していた秘密を否定してやった」

さらにこれをアメリカのメリットに変換すると以下のようになる。

「武漢疾病予防コントロールセンターということを隠してやった」⇩「お前たちに創れないウイルスをアメリカが創れることが分かったか!!」

「中国が研究していた秘密を否定してやった」⇩「アメリカがバイオ兵器と認めない以上、人工ウイルス説はアメリカのためにも幕引きだ!!」

そして結論は、「中国を発生源と世界に向けて公表した以上、アメリカは中国締め付けの手を一層高めていく!!」となるが、トランプが去った後のバイデン政権の登場で、日本を含む世界はコロナ禍でトランプのガス圧が抜けることで大変な事態に陥るかもしれない!!

人工呼吸器を付けても65歳以上の感染者の97%が死亡のデータ!!

世界的な「新型コロナウイルス」のパンデミック（感染爆発）により、重篤に陥った感染者にとって「人工呼吸器」は必要不可欠とされた。

特に老齢の患者にとっては命をつなぐ要（かなめ）とされたが本当なのか？

実際に人工呼吸器を付けても65歳以上の感染者の97%が死亡し、最終段階で血液を外部の「ECMO／体外式膜型人工肺」に移しても死亡率に変化はなかった!!

2020年春の「アメリカ医師会」のデータでは、NYの感染者（当時）5700人のうち320人が「人工呼吸管理」を必要としたが、死亡率は「18歳～65歳：76・4%」「65歳以上：97・2%」だった。

驚愕の事実として、「人工呼吸器」「ＥＣＭＯ」を必要とする患者には効果がほとんどないという結論である。

当時から、「ＩＣＵ」で呼吸管理しても65歳以上の97％が救命できていない以上、医療資源とマンパワーの配分を考え直す必要が出ていた。

ただし、老人の97％の死亡はアメリカのデータで、ＥＵも大同小異だが、先進国で日本だけ死亡者数が桁違いに少ないことから、欧米のコロナ死亡数のデータはほとんど参考にならない。

「新型コロナ肺炎」は通常の肺炎と違い、咳や発熱など「風邪」の症状を訴えた患者が、突如として呼吸困難に陥り、ほとんどの患者は「水に溺れたようだった」と表現する。

実際、中国の武漢の肺炎患者の肺胞内には水が溜まり、多くは「肺浮腫」を患う重度の「ＡＲＤＳ／急性呼吸窮迫症候群」になる。

これは肺の間質に集まった「血液細胞」から免疫タンパク質で「サイトカイン」が過剰生産され、免疫系が暴走する結果起きる症状だ。

「サイトカイン」は血管細胞を傷つけ「毛細血管漏出」を起こすことで肺胞内に水分が漏れ出す結果、コロナ重傷者が溺れ死ぬことになる。

これはコメディアンで俳優の志村けんの死亡とも関わる問題で、感染前に手術をしていたり、糖尿病などの疾病を持つ高齢者は免疫力が低下しているので危険という概念だけではないようだ。

海外では軽症とされた感染者も「血管損傷」による「悪玉コレステロール」が損傷部に塊を作り、それが剝がれて心筋梗塞や脳梗塞・脳溢血を起こすことになるため、特に高齢者は血液の凝固を防ぐと同時に、毛細血管の細胞剝離を防ぐ治療が必要となる。

ふつう「ワクチン」の開発には1年以上かかり、臨床実験と流通を加えれば実質4～5年となるため、2020年の段階ではワクチンの開発まで、既製の医薬品で効果が見込まれるものを探すしかなかった。

そこでアメリカのトランプ（前）大統領が増産を命じたのが「アメリカ・ギリアド・サイエンシズ社」の抗ウイルス薬「レムデシビル」だったが、死亡率は統計的に差がないことが明らかになり、新型コロナの治療薬探しは困難を極めた。

当時、抗エイズ薬「カレトラ」も中国から良好な結果が出たが、欧米では臨床症状の改善やウイルス除去の効果は見られないため、ほとんど顧みられなかった。

一方、「富士フイルム富山化学」が開発したインフルエンザ治療薬「アビガン」は、軽症患者で90％、中等症患者で85％、重症患者では61％に改善が見られたとされた。

そんな中で、オーストリアのベンチャー企業が開発した「ＦＸ06」に注目が集まった。

「FX06」は、血管内皮細胞に作用して毛細血管から血液成分が漏れるのを防ぐ作用があり、エボラ出血熱で人工呼吸器が必要となった患者に投与した結果、毛細血管漏出が改善し、心筋梗塞患者でも効果が確認され、EUでは重症患者への臨床試験が開始された。

ところが、治療薬や医療機器が出揃う前に、日本では医療スタッフの数が不足し始め、当時の東京都は入院させた軽症患者を順次ホテルに移し、そのホテルの数だけ少ない医療スタッフを割かねばならない状況となった。

ホテルは小部屋隔離のため集中管理率は最低で、軽症から重症化し始めると一人の医療スタッフに掛かる労力と時間は大変で、2020年の段階で日本の「医療崩壊」は確実になっていた。

つまり、この段階で日本の「コロナ対策」は致命的なミスを犯していたのだが、それは後半で明らかにする。

Part 3

ビル・ゲイツと米軍の策謀が見えて来た!

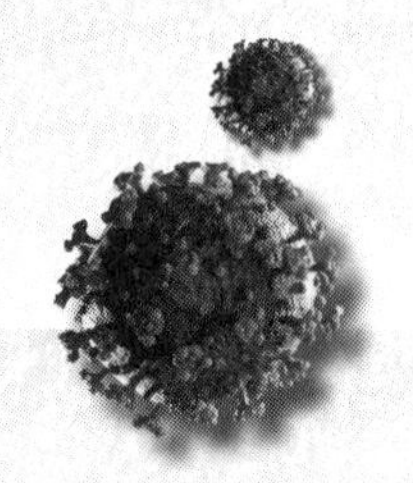

「新型コロナウイルス」の開発企業はロックフェラーが支援するアメリカの「IAVI」!!

「新型コロナウイルス（COVID19）」が陽性か陰性かを特定する「PCR検査／polymerase chain reaction」を「ポリメラーゼ連鎖反応」という。

この意味は「DNAポリメラーゼ」という酵素の働きを使い温度変化のサイクルから特定の「遺伝子領域」「ゲノム領域」のコピーを連鎖増幅させ、少量のDNAサンプルでも十分な量に増幅して行う検査法である。

ザックリ言えば「PCR検査」の特徴は〝ウイルスの核酸を増やすこと〟で、検体に含まれるウイルスがたとえ微量でも増幅して検出できるようにする手法をいう。

その「PCR検査」が今回の「COVID19」で問題が指摘されたのは〝微量のウイルスでも増幅できる〟逆説が〝その微量の外にいるウイルスを取り込めないと増幅できない〟という矛盾だ!!

なぜこれが問題になったかは、横浜港に停泊隔離された大型クルーズ船「ダイヤモンド・プリンセス号」で陰性が判明した乗客が帰宅してから「COVID19」を突然発症して死亡したからだ。

下船して死亡した感染者の再検査から〝陽性〟が判明したわけで、これを医学的には「偽陽性」が判明したのではなく、船内での検査が「偽陰性」だったことになる。

他にも「PCR検査」が2度も連続して〝陰性〟だったが、突然〝陽性〟になったり、重症肺炎を発症しても「PCR検査」では〝陰性〟で、最後の最後に〝陽性〟になった例もある。

なぜこんなことになるのか……それで合理的に考えられたのが「下気道由来検体」と「鼻咽頭拭い液」中に「COVID19」が含まれていなかったという可能性だった。

そこで、気管の奥から吐き出す「喀痰」の採取も求められるようになる。

……と、そこまでは一般情報だが、どうも「COVID19」は肺の奥の奥に棲み着く可能性も示唆され、検体では採取できないため〝陰性〟になるが、一旦スイッチが入ると爆発的に増殖して死亡する……これが「偽陰性」の正体とされた!!

さらに質が悪いのは、「COVID19」は短期間に「RNA」が突然変異を繰り返すため、外国から侵入する第2波、第3波、第4波、第5波ではなく、映画『シン・ゴジラ』のように「第1形態」「第2形態」「第3形態」「第4形態」と突然変異を繰り返しながら、一人の感染者に何度も何度も何度も肺の奥で「ＣＯＶＩＤ19」が変異する度に感染を繰り返す事態に陥ることになる。

これを「再燃／Rekindling」というが、それが正しいなら「ＣＯＶＩＤ19」の収束はなおのこと終息に至っては数年どころでは済まないことになる。

フランスの『ル・モンド』（２０２０年1月下旬）が紹介したインドのニューデリーの「Indian Institute of Technology」の研究者が発表した内容が物議をかもした……「ＣＯＶＩＤ19（SARS-CoV-2)」のＲＮＡに「ＨＩＶ（エイズ)」遺伝子が仕組まれているというのだ!!

「新型コロナウイルスのタンパク質のアミノ酸配列が、エイズウイルス（ＶＩＨ１）のそれと奇妙な類似性があり、偶然である可能性は低い」と発表した（※後にアメリカの政治的圧力で削除される）。

その可能性を支持したのが、２００８年にＨＩＶウイルスを発見して「ノーベル生理学・医学賞」を受賞したフランス人教授リュック・モンタニエで、その後、モンタニエに対するバッシングが世界中から続出、「パスツール研究所」への出入りも禁止されてしまう。

ノーベル賞学者の発言が事実なら、「ＣＯＶＩＤ19」はＳＥＸでも感染することになり、毛細血管を介して「ＡＩＤＳウイルス」のように肺の奥に定着して全人類を根絶やしにしかねない。（※２０２１年2月の段階でＳＥＸ感染は証明されていない）

考えてみれば「キス」「ハグ」で〝濃厚接触〟する以上、「ＳＥＸ」を介して感染するのは当然となるが、「ＳＥＸ」の場合は確かに〝接触感染〟となる!!

だから「ＣＯＶＩＤ19」に「抗ＨＩＶ薬」が効果を発揮するのは当然となるが、「抗ＨＩＶ薬」「ＨＩＶワクチン」を製造するのはアメリカの「ロックフェラー財団」と「ビル＆メリンダ・ゲイツ財団」が支援する企業「ＩＡＶＩ／インターナショナル・エイズ・ワクチン・イニシアティブ」である!!

「抗ＨＩＶ薬」は一生飲み続けなければならない以上「新型コロナショック」で生き残るには、全人類はこの先莫大な利益をビル・ゲイツの「ＩＡＶＩ」に与え続けることになるが、それは同時に「SARS-CoV-2」を開発したのがビル・ゲイツで、その背後にロックフェラー財団がいる構図を示唆していることになる!!

「COVID19」を創った犯人は、感染死亡率が低く〝抗体〟のある日本にされる⁉

ここで「新型コロナウイルス」についてもう一度整理しておきたいことがある。

まず「新型コロナウイルス肺炎」で重篤化した65歳以上の患者に「人工呼吸器」で治療しても97％が死亡するデータとは欧米のもので、65歳以上の日本人の死亡率ではなく、むしろ日本の死亡率の低さは欧米人から見たら異常ともいえる低さである。

次に「COVID19」のRNAに「エイズ／HIV」の遺伝子の一部が組み込まれているため、理屈的に「抗HIV薬」を製造する「IAVI」の薬をAIDS患者同様一生飲み続けることになるが、バイオ兵器の「人工ウイルス」の場合、ある日、書き込まれた遺伝情報により突如として地上から消滅する可能性もあることだ。

医学界の常識ではコロナウイルスの違いを決定する「株」が別種に変化しないというが、「COVID19」は「形態」が変異するため、ある日突然「COVID19」が地上から消滅することもあり得ない話ではない!!

それと関係するかもしれない「殺人事件」がアメリカで起きている。

2020年5月5日のCNNで「ピッツバーグ大学医大」のビン・リウ助教授（37歳）が、5月2日にペンシルバニアのピッツバーグにある自宅で、頭、首、胴体を撃たれて死亡したと伝えた。

リウ教授は医大の「コンピュータ・システム生物学部」で研究する中、「SARS-CoV-2（COVID19：新型コロナウイルス）」感染における細胞メカニズムと合併症細胞基礎を理解する非常に重大な発見を公開する寸前だったとされる!!

つまりビン助教授は「新型コロナウイルス」の正体について誰も考えなかった重大な発見を公開する直前、容疑者である同じ中国系男性ハオ・グ（46歳）によって射殺され、この男も1・6キロ離れた所に駐車してあった自動車の中で死んでいた。

ピッツバーグ警察は容疑者がリウ助教授を殺害した後、車内で自らの命を絶ったと考えているが、何やら「JFK暗殺」と似たパターンが見えている!!

当時、JFK殺害者と目されたリー・ハーヴェイ・オズワルドをジャック・ルビーが殺し、事件の真相が揉み消されたアノ手口と同じなのだ。

コレは「CIA」が最も得意とするやり方で、選んだ捨て駒が重要人物を殺した犯人と思わせ、最後にその捨て駒を殺せば事件は全て捨て駒の仕業となる!!

前述の「COVID19」の突然変異の推測にしても、何度かの突然変異の中で「COVID19」の突然消滅という〝小休止（踊り場）〟が用意される可能性がある。

仮にそうなら人類はその「踊り場」でホッと胸をなで下ろし、小躍りする中で油断する者と賢く振る舞う者に分かれるだろう。

今回、アメリカ国内で暗殺された男が中国系の学者で、殺したと目される男も中国系で、当時の「COVID19」の責任を追及する「米中舌戦」の中、中国政府は「COVID19」が武漢に現れる前の11月、アメリカとカナダで「COVID19」が既に蔓延していた証拠があると公表した!!

このまま米中で勝敗がつかない場合、少なくとも2019年5月に「コロナウイルス」が日本で蔓延し「ダイヤモンド・プリンセス号」の停泊時に行われた「ゲノム系統樹分析法」からそのことが明らかになっている。

それらの結果を受けた当時の東京広尾の「中国大使館」は、既に〝新型コロナ日本製〟を匂わせており、いずれはこう言い始めるかもしれない。

「日本の感染者の異常な死亡数の少なさこそ、日本人の体内に原種の〝抗体〟があるからだ!!」

「日本がCOVID19を生み出した張本人で、世界中をパンデミックに陥れた元凶である!!」

結果、悪いのは全て日本にされ、最悪の場合、中国を含む世界中からバッシングされ、天文学的損害賠償を世界中から求められる可能性も出てくる。

そうなった原因は在日米軍のアメリカ軍輸送機「C－130」による高度200メートル上空から散布した「低空ケムトレイル」で、その証拠が新聞記事になっている!!

2019年春頃からアメリカの「横田基地」（東京都多摩地域）と「岩国基地」（山口県岩国市）から飛び立った米軍輸送機「ロッキードC－130J」が妙な動きをしていたのだ。

同年5月30日、長野県佐久市上空を2機の軍用輸送機が飛来するや、地上200メートルの高度で飛び回り始めたのだ。

高度200メートルはアメリカ空軍が定める〝地上攻撃高度〟で、長野県と佐久市には何の通達もないため、住民たちの不安が高まった。

同様の米軍機による低空飛行は高知県本山町でも起き、茨城県牛久市近郊でも複数の自衛隊ヘリが同様の不可解な行動をとっていた。

その後、人々に風邪の兆候が起き始め、特に喉の痛みと目の痛みが激しくなり、結膜炎の症状も出て、約1カ月も微熱が続く質の悪い症状がつづいた。

「ロッキードC－130J」は空から「バイオ活性物質」や「エアロゾル繊維」など「大気ポリマー」を散布する「ケムトレイル（ケミカル・トレイル）」で知られる輸送機である。

ハイ高度からバクテリアやウイルスを霧状に散布すると「臭化エチレン」の長い飛行機雲が現れる一方、狭い範囲のデータを得る場合は飛行機雲が現れにくい高度200メートルから複数機でウイルスを散布する。

本国から指示を受けた「アメリカ大使館（極東CIA本部）」は、2019年末を狙い「新型コロナウイルス」を中国の武漢にばらまく半年ほど前、比較的「毒素」が少ないコロナ型ウイルスを米軍機がモルモットの日本人の頭上に散布し、後にその痕跡が見つかりはじめたことになる。

さらに武漢で「COVID19」をまいた2人の日本国籍の男の存在と、彼らの名前が漏れたら決定打となるが、戦後、「GHQ（連合国最高司令官総司令部）」が裏工作に多用したのは、日本人ではなく日本名にロンダリングした在日コリアンで、彼らは今も日本人として「CIA」に協力している。

Part 4

朝鮮民族による日本統治（在日支配）のカルト度数

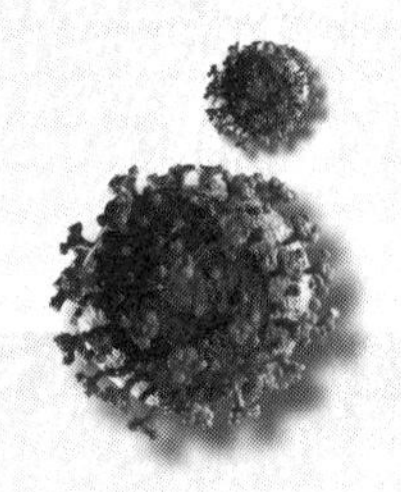

コロナショックに隠れて疑惑隠し

２０２０年に日本に勃発した「コロナショック」に乗じた政治家がいる。

当時の安倍晋三首相で、コロナ禍のドサクサに紛れて有権者が安倍自民党に与えた圧倒的議席数を盾に、自分にとって都合の悪い悪事の全てを封じる策に出ていたのだ。

これは首相官邸が前代未聞の暴挙に出たことを意味し、もちろん「憲法改正」もドサクサを利用して圧倒的議席数で押し切るつもりでいた。

２０２０年１月31日、安倍晋三のお友達の「東京高検検事長」の黒川弘務（62歳）が２０２０年２月７日で定年退官する予定を、突如、閣議決定で任期を半年延長された。

黒川は菅義偉（当時）官房長官ともお友達で、安倍政権の中枢に検察による腐敗追及を黒川によって及ばなくさせる人事であることは見え見えだったが、４月26日の静岡県「衆議院小選挙区選出議員補欠選挙」で自民党が圧勝した結果、安倍晋三が何をしても有権者が離れないことが証明され、二階幹事長は胸をなで下ろしたとされる。

が、このことで浄化されるのは静岡県で、「富士山」と隣の神奈川県の「箱根山」と接し、海岸線も広く「東海トラフ」も近く「フィリピン海プレート」が潜り込む静岡県が大災害を担うことになるかもしれない……

「令和」の根源的意味は〝浄化〟だからだ!!

静岡県民の「安倍自民党頑張れ!!」の後押しに自信を得た安倍晋三は、コロナ禍に乗じ一般職の国家公務員に合わせて検察官の定年を引き上げる「検察庁法改正案」を提出、自らの疑惑隠しの追加的法改正であることは明らかだった。

立憲民主党の枝野代表は「検察庁法改正案に抗議しますのハッシュタグが、1日約500万ツイートの記録的なトレンドとなっている!!」と批判、「検察庁の幹部人事を内閣が恣意的にコントロールできる権力分立原則に抵触する大問題!!」と指摘しても、当時の菅官房長官と森法相は「検察官定年延長に問題ない!!」の一点張り、もはや自民党は有権者の圧倒的支持を得て「政治カルト」と化していた!!

当時、安倍首相は静岡県民の後押しの勢いを受け、5月11日の「衆議院予算委員会」でも圧倒的議席数で法案成立を目指す考えを強調、強行採決で自民党が押し切るカルトぶりは、もはや完全な「政治カルト」だった。

東京高検の黒川弘務検事長に以下の事件を揉み消させるのが、当時の安倍首相の目的で、もはや「恥」を「恥」と思わない某民族の性癖通りのやりたい放題となった。

「日米安保条約」を強行した第56～57代総理大臣の岸信介は、安倍晋三の祖父で、岸の曾祖父の要蔵は遼陽から戎ヶ下にきた在日一世で、李氏朝鮮の李成桂の末孫と突き止めたGHQの下部組織「CIE（Civil Information and Educational Section）／民間情報教育局」は、李氏朝鮮を戦後の日本支配に利用するため、岸をA級戦犯から外して解放している。

安倍晋三の母の岸洋子も系図を辿ると「岸（ガン）要蔵」に行き当たり、本名を「李」の姓を持つ「李要蔵」という李氏朝鮮の子孫と判明、安倍晋三の父の安倍晋太郎に至っては、長年仕えた家政婦に「自分は朝鮮人だよ」とカミングアウトしている。

その末裔だった安倍（前）首相は恥を恥と感じない民族性を発揮、2019年2月28日の「衆院予算委員会」の席で安倍晋三は「私が国家です」と日本の〝王〟を宣言、2020年の「東京コリアンピック」で李氏朝鮮の日本支配を祝う大祭典にするはずだった。

朝鮮民族による日本統治を企てたのは、戦後の日本を統治した占領軍司令官のダグラス・マッカーサーで、日本と日本人をアメリカが間接統治するのに在日朝鮮民族を徹底的に優遇して利用することを承諾、アメリカ政府も在日を日本人に代わって日本を支配させる方が理に叶うと判断、在日重視戦略の一環として「李氏王朝」の復活を彼らの撒き餌にした。

「ＧＨＱ」は日本人の精神を自虐趣味で徹底破壊する「ＷＧＩＰ（War Guilt Information Program）／戦争罪悪感プログラム」を作成、その傀儡（かいらい）として「自民党」を作った経緯がある。

その経緯の中で安倍晋三が二度も総理大臣の座に就き、自分の代での日本制覇を祝うつもりが、「令和」に入ってさらに調子に乗って足元が危うくなり始める。

（１）小渕優子元経済産業大臣の政治資金規制法違反問題!!

（２）甘利明元経済再生担当大臣のＵＲ（都市再生機構）への口利き疑惑!!

（３）下村博文元文科大臣の加計学園からパーティー費用として２００万円を受け取った政治資金収支報告書不記載容疑!!

（４）森友学園問題における佐川宣寿元国税庁長官などの不起訴処分!!

（５）「桜を見る会」の公金の私的利用疑惑!!

（６）在日支配が明確なＴＢＳの元ワシントン支局長だった山口敬之レイプ事件もみ消し疑惑!!

その他、もろもろ安倍晋三の公私混同は数え上げればきりがなく、韓国の歴代大統領と同じ遺伝子で動いているのは歴然となる。

「衆議院予算委員会」で森法相がカルト解釈した「検察官は一般職の国家公務員であり、

国家公務員法の勤務延長に関する規定が適用される」答弁は法的に支離滅裂で全く成り立たない。

これでは安倍晋三の指揮権発動と全く同じで、安倍内閣が黒川を検事総長にせよと命じたのは歴然で、政治権力が検察人事に口出しする事態は「三権分立」からあり得ない。

が、圧倒的有権者が自民党を支持する様子は「朝鮮カルト教」と言うしかない。

そんな安倍晋三に打撃を与えたのが「新型コロナショック」だった!!

Part 5

古来からの伝統食が日本人を救っていた!?

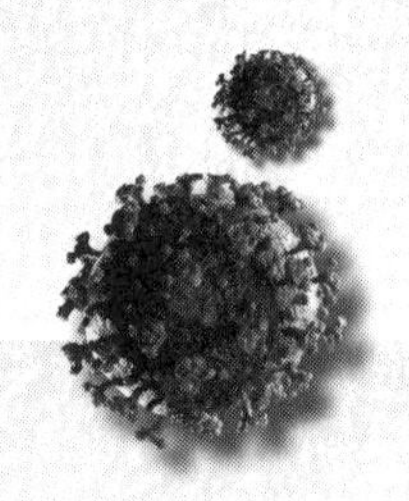

新型コロナの肺炎重篤化の犯人は血管を梗塞する大量の「血栓」だ!!

世界の覇権国アメリカから成り上がり中国に放たれた「COVID19」の実弾!!

2020年中頃、既にイギリスで蔓延(まんえん)していた「新型コロナウイルス」の変異株は、「血栓」が肺炎の重篤化に関わるということが見えていた。

医学雑誌の「Lancet」も、武漢の「新型コロナウイルス（COVID19）」の入院患者の10％に心筋障害が確認されたことから、血栓が重篤化の鍵と思われると伝えていた。

「心筋梗塞」は心臓の冠動脈の血管内に血栓が詰まり、十分な酸素が心臓に届かないことから発生する心臓麻痺のことだ。

その原因が「COVID19」の血管細胞の「ACE2受容体」への攻撃が引き金で、結果的に小さな血栓を大量に造って血流に根詰まりを起こさせ、剝離した血栓が脳に行けば「脳梗塞（脳溢血）」を、心臓に向かえば「心筋梗塞（心臓麻痺）」を起こし、肺に向かった場合は重篤な肺炎を起こすことになる。

血栓が肺の血管に詰まると「肺梗塞」を起こし、肺炎状態だと一気に死亡率が高くなり、「人工呼吸器」を付けても血管が詰まっているため90％以上が死亡する。

だからアメリカやヨーロッパでは疾患のある若者も一気に肺炎が重篤化して死亡するのであり、特に心筋梗塞と連動すれば急に亡くなる理由も納得できる。

「ＣＯＶＩＤ19」による息苦しさは「肺梗塞」の症状であり、「味覚障害」と「嗅覚障害」も感覚神経の血管が詰まって起きる梗塞症状と思われた。

さらに、重症化する男性感染者の特徴が、「喫煙」「高血圧」「糖尿病」「脂質異常症」等の生活習慣病で、特に喫煙は血管を狭め、高血圧も日常的に血管を傷つけ、糖尿病も血管を破壊し、脂質異常症も血管を破壊して大量の血栓を生み出す原因となる。

アメリカ人の特徴である「肥満」も血管に過度な負担をかける症状の一つで、肥満ではないにしても大相撲の「あんこ型」の力士「勝武士」が急性肺炎で死亡したのは、血栓による「多臓器不全」だったと思われる。

「ＣＯＶＩＤ19」による炎症が次の段階に進む連鎖を起こし、最終的に大量の血栓が生じて体の各所を梗塞して多臓器不全で重症化させると考えられた。

治療法は大量に発生する血栓を溶かせばよく、病院には何種類もの「血栓溶解薬」が大量に常備されている。

しかし、実はコロナ禍以前の老人の死亡原因も肺炎による様々な疾患だった事実が公表されていなかったのだ!!

それはそれとして「サプリメント」も効果がある可能性があり、特に小林製薬の大ヒット商品「ナットウキナーゼ」が血液をサラサラに保つことが一般的に知られている。

日本人の重症化率が低い理由は、欧米人が食べない「海産物（昆布・ワカメ・海苔）」「納豆」「みそ汁」「豆腐」の和の朝食に含まれる血液サラサラ効果で、後は「緑茶」に含まれる「カテキンサン」によるウイルス&細菌殺傷効果である。

今回の「COVID19」への治療法の発見で、古来からの日本の伝統食が日本人を救っていたと分かった以上、これまでの和食ブーム以上に世界は「日本食」から多くを学ぶべきかもしれない。

「新型コロナウイルス」の後遺症と「川崎病」の症状が似ている？

欧米のデータによれば、「新型コロナウイルス／COVID19」に感染したら、完治しても「後遺症」が残るとされる。

ふつうのコロナ風邪に感染した場合も、インフルエンザと違って1カ月は治らず、その間に目が充血したり、喉に激しい痛みが続き微熱も長期間続くことになる。

実は日本では今回の「コロナショック」以前から、何度もコロナウイルスが全国的に蔓延していたことがゲノム調査から分かっている。

今回の「COVID19」の毒性はそれほど高くなく、だから初期症状は感染したことさえ気づかないのである。

しかし、「COVID19」は体温が40度を超えても衰えずに活発化することから「キラーT細胞」が慌てはじめて暴走し、血管内壁をズタズタにして無数の破片（血栓）を生むため、「脳梗塞」「心筋梗塞」さらに「肺梗塞」を起こして「呼吸困難」に陥らせる。

血液がドロドロになる粘着化の結果、「人工呼吸器」は役に立たず、体外式膜型人工肺の「ECMO（エクモ）」も膨大な血栓が機器の微細繊維を詰まらせて機能しなくなる。

結果、欧米では新型コロナウイルスから立ち直っても、少なくとも2カ月は続く「発熱」「疲労感」「頭痛」「めまい」「息苦しさ」「胸の痛み」「味盲」「湿疹」から苦しむ人が多く、再び医院を訪れる人もいるとされた。

「アメリカ医師会／AMA（American Medical Association）」は、2020年7月時点で

イタリアの医師たちから「COVID19」の陽性感染者として退院した143人中の9割近くが、何らかの後遺症といえる症状を訴えていると報告している。

詳細は不明だが、たとえ「抗体」ができても症状が収まらないケースを診る限り、今までのウイルスとは大分性質が違うようだ。

初期症状が出てから2カ月の症状では、高齢者の87％が異様な「疲れ」「呼吸困難」に見舞われ、最も多い症状が「疲労感」の53％で、「呼吸困難」は43％、「関節痛」は27％、「胸痛」は22％とされる。

イギリスの小児感染者を対象とするデータに「炎症性ショック」が生じる事例が報告されているが、その症状の特徴が日本の「川崎病／急性熱性皮膚粘膜リンパ節症候群」とあまりにも酷似しているのだ。

1967年に川崎富作博士が発見した「川崎病」は乳幼児期に発症する病気で、毎年1万人以上の子供がかかるとされ、「長い発熱」「目の充血」「唇の発赤」「発疹」が特徴で、重篤な場合は合併症の「冠動脈瘤」を併発し、長期的に「内服薬」の使用と「運動制限」が必要とされる。

着目するのは、「川崎病」を発症すると長期に発熱が続き、全身の血管に炎症が起き、血液が固まりやすくなり、血流を血栓が塞ぐことで重症化する点である。

「川崎病」は原因がいまだに不明で、治療の一つとして血が塊になることを防ぐ「アスピリン」が処方され、「免疫グロブリン製剤」という血管炎症を抑える薬を点滴するという。

それと同じ治療が「COVID19」に果たしてどれほどの効果があるか分からないが、血栓を溶かす治療を行うことで少なくとも「血栓症」の後遺症を軽減させる可能性がある。

「COVID19」を「バイオ兵器」と断言するのは、高体温の大コウモリを宿主にする「コロナ型ウイルス」に「川崎病」特有のDNA情報が加味された可能性で、アメリカのビル・ゲイツが設立した「ビル&メリンダ・ゲイツ財団」と関わる「IAVI」が「HIVウイルス」を含めて遺伝子組み替えをやったと考えられる。

なぜなら、アメリカの「情報公開法」に民間企業は含まれないからで、「FOIA／アメリカ連邦政府情報公開法（The Freedom of Information Act)」は、法的に軍や行政機関の機密情報を公開させるだけである。

つまり「民間企業」の情報は公開しなくていい抜け道があり、軍や政府機関の便利な隠し場所になっている。

最後に「川崎病」は日本、韓国、東アジア一帯のアジア系民族に多い病気で、「COVID19」による死亡数が少ない地域とも一致している。

「COVID19＝生物兵器」のスタンスから言うなら、この共通点は見逃すべきではない。

Part 6

日本はお陀仏!?
世界恐慌と
第三次世界大戦!!

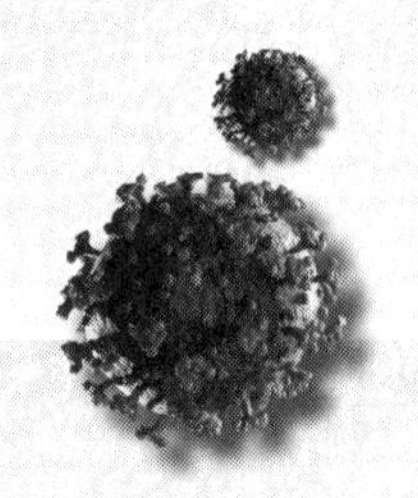

新型コロナウイルスが行き着く未来!!①

２０２０年秋、新型コロナウイルスの勢いが収まらない中で、インフルエンザ予防接種の時期が来たが、新型コロナウイルスワクチンの製造に人や研究機関が掛かり切りのため、２０２１年のインフルエンザ・ワクチンの供給量の減少が問題視された。

その上、新型コロナの院内感染を恐れて予防接種を控える人が多くなり、それより恐ろしいのは新型コロナウイルスと同時にインフルエンザ・ウイルスに感染した場合、どちらも「伝染性呼吸器疾患」であるため、どちらに感染したかが見分けにくいことである。

新型コロナウイルス感染症は、ウイルス区別的に「ＩＣＴＶ／国際ウイルス分類委員会(International Committee on Taxonomy of Viruses)」が「ＳＡＲＳ（重症急性呼吸器症候群)」を引き起こすウイルス「SARS-CoV」の姉妹種「SARS-CoV-2」と名付けている。

新型コロナウイルスとインフルエンザ・ウイルスの比較症状は、「発熱・悪寒・咳・息切れ・疲労感・喉の痛み・鼻水・鼻づまり・筋肉痛・頭痛」と類似するため、下手をすれば新型コロナの治療が遅れるかもしれない懸念があった。

それでも両方の間に幾つかの違いがあり、新型コロナウイルスの場合はインフルエンザと異なり「味覚・匂い」の症状が特に出てくることで、重症化すると「人工呼吸器」「ECMO」を利用する肺炎へと進行する。

一方、インフルエンザの致死率は新型コロナウイルスより低く、欧米のデータによるとインフルエンザは0・1%以下だが新型コロナウイルスの致死率は3~4%というが、後に「CDC」がほぼ全ての高齢者の死亡を〝新型コロナ死〟にカウントしていた事実が判明する。

一方、インフルエンザの場合、意外かもしれないが年齢に関係なく「心臓疾患」「呼吸器疾患」「妊婦」が重症化しやすく、新型コロナウイルスの場合は「高齢者」「持病を持つ高齢者」が集中的に重症化し、2020年秋の段階で、イギリス以外に児童の重症化はほとんどなく妊婦も重症化していない。

これらについて一部から異論が出てきそうだが、それはイギリスのTV局が流した〝フェイク映像〟に起因するようだ。

ロンドン在住の30歳代の若い女性(タラ・ジェーン・ラングストン)が、基礎疾患がないにもかかわらず新型コロナウイルスに感染、一気に重症化したため「ICU/集中治療室」からスマホで「私を見て、コロナを軽く考えては駄目、もうＩＣＵに入って10日以上、何十日たったかもわからない……」と激しくせき込みながら訴える映像が世界中に流されたので観た人も多いはずだ。

彼女の両手は点滴チューブとカテーテルがつながれて痛々しく、鼻には人工呼吸器のチューブが見える……と、しかし、よく観ると彼女の自撮り映像にはあまりにもおかしな点が多い。

まず、ＩＣＵで10日以上の重症患者にしては、どうしてスマホを持てるのかという以前に、どうやってスマホを充電していたのかという謎がある。

さらに両手の爪は派手なマニキュアが塗ってあり、肺、動脈、静脈の輪切り映像、特に血栓をスキャンする「ＭＲＩ／磁気共鳴画像診断装置」が使われるにもかかわらず、彼女の首には金属製の十字架のネックレスが光っている……。

これらは明らかに異常で、彼女の名前も当然偽名だし、人口密集地帯のロンドンに住んでいると言っても視聴者には確かめようがなく、演技している点から「クライシス・アクター（Crisis actor）」と考えて間違いない。

「クライシス・アクター」とは政府による国民への「マインドコントロール」と「監視強化」を正当化する目的で雇われる俳優のことで、ドロップアウトした無名の元俳優も多いとされる。

今の時代、TVは絶対に信用してはならないし、NHKを筆頭に地上波TVのニュース番組、ワイドショーの政治コーナーには嘘が混じることが多く、ネットの嘘について注意勧告しながら、視聴者を都合よくマインドコントロールしている。

日本人は既に2~3年前からコロナに感染し続けており、免疫を持つ者が圧倒的だが、アメリカで死亡が多発するのは、コロナに感染した経験が少ない上、多くは中型の飛行機が落ちるほどの肥満体形で、老人特有の免疫力の低下と、それを上回る糖尿病などの基礎疾患があり、意外かもしれないがベジタリアンの抵抗力は予想以上に低い。

日本の場合も老人の多くは疾病を持ち、若者が新型コロナに平気なのは、既に抵抗力と免疫（抗体）を持っているからで、感染症状もほとんどが〝風邪〟程度で終わる。

どうやら世界を裏で動かしているイギリスの「ロスチャイルド一族」とアメリカの「ロックフェラー一族」は、巧妙に新型コロナを操作しながら世界経済を破壊させ、その結果として一気に「世界経済大崩壊」から「第三次世界大戦」に持っていくつもりでいるようだ!!

だから日本のTVでも、コロナNEWSはアメリカとイギリスのNEWSしか放映されていない!!

新型コロナウイルスが行き着く未来!! ②

２０２０年3月27日、イギリスのボリス・ジョンソン首相が新型コロナウイルス感染症で陽性反応が出て、会議にテレビを通じて参加していたが、高熱などの症状が続き、４月５日に検査入院したが容態が悪化「ＩＣＵ／集中治療室」に入って何とか持ち直して９日夕方に一般病棟に移った。

２０２０年10月３日、アメリカのトランプ（前）大統領も新型コロナウイルスに感染し、ワシントンの軍の病院に入院したが、日本時間の６日朝たった３日で退院し、ホワイトハウスに戻って有権者の前で無敵ぶりを披露した。

実はこれには少し不可解な謎があり、２０２０年９月29日に開催されたトランプVSバイデンの「第１回大統領候補者討論会」の場で、既に感染していたはずのトランプ（前）大統領は、放送中の90分間バイデン候補に向かって怒鳴りちらしていた。

６メートル離れているので「ＣＯＶＩＤ19」の混じった唾の飛散は阻止できても、エアロゾル状態での「COVID19」は90分間もバイデンの頭上に漂い続けたことになり、今までの常識ではバイデンは新型コロナの陽性反応が出なければならない。

口の悪い評論家は「トランプは高齢（77歳）のバイデンをコロナに感染させて大統領候補の座から蹴落とそうとした」というほど危険な環境だった。

ところが、あれほどトランプにエアロゾルを飛ばされ続けたバイデンに陽性反応がなく、トランプ大統領も入院した後、サッサと支持者の前に車で現れた後、たった3日で退院したのを見て劣勢を挽回するためのパフォーマンスではなかったかの疑いが出ていた。

イギリスのジョンソン首相も、ブラジルのトランプと称されるボルソナロ大統領もコロナに感染したが治療を受けて無事に復活しているが、ブラジルの専門家は「症状が軽症で力強さを強調したことが追い風になった」と分析する。

トランプ（前）大統領も同じ目的で支持率の回復を狙い「大統領選挙」で成功していたら、「新型コロナウイルス」を追い風にした大統領になったかもしれない。

実際、当時のトランプ支持者の男性は「トランプ大統領が無事退院するのを見て最高の気分だ。来月の選挙では地滑り的大勝利をおさめるだろう」と胸を張っていた。

日本でも2020年の「東京都都知事選」で、都知事立候補の全員が新型コロナ禍で選挙演説が難しい中、小池百合子都知事だけは連日連夜「コロナ対策」で全TV局のワイドショーやニュース番組に顔を出し続けた結果、「学歴詐称疑惑」を吹き飛ばして圧倒的多数で都知事に再選された。

そんな中、ヨーロッパでは「第2波」が来襲し、第1波のピーク時の4倍の感染者が生まれ、オランダは医療逼迫で患者をドイツへ移送し、フランスも新型コロナ感染者が100万人突破する事態に陥っていた。

アイルランドは全国対象に自宅待機命令を出し、EU内では次々と「ロックダウン（都市封鎖）」と「国境封鎖」に入り、EU経済の打撃が冗談ではなくなっていく。

これを逆に見れば「コロナ禍」を最大限に利用できた政治家、組織、国が存在したことになる。

新型コロナウイルスが行き着く未来!! ③

世界中がコロナ禍にある中、北半球では本格的な冬になると、2021年にかけてインフルエンザ流行の時期が到来する。

そうなると「インフルエンザ・ウイルス」と「新型コロナ・ウイルス」が同時流行する「ツィンデミック（twindemic）」が起きる可能性が懸念される。

世界が小さくなる中、南半球では「ツィンデミック」を不安視し始めていた。

ツィンデミック感染者の体内で、同じ細胞に侵入した両方のRNAが、ヒトの細胞内で合体することによる〝未知の突然変異ウイルス〟の出現が不安視されていたのである!!

これを造語で「インフルコロナ・ウイルス（influcorona-virus）」と名付けておくが、両方が融合して全く別の〝モンスター〟が生まれる事態を想定している。

「COVID19」のRNAの長さはインフルエンザ・ウイルスの15倍とされ、両方が融合して変異した場合、未知のRNAのウイルスが患者の体内で爆発的に増殖、「咳」「痰」「呼吸」「会話」「大便」に混じって体外に放出される。

最悪の予想では15倍の長さのRNAは15倍の速さで突然変異を繰り返し、2つの内どちらの特徴が強調されるかで「influcorona-virus」の性質が違ってくる。

「COVID19」にインフルエンザの機能が追加され「COVID neo 19」に変異した場合、これまでの毒素が桁違いに強くなるため、今まで比較的安全だった若者や子供たちが倒れることになる。（※2021年2月の時点では確認されていない）

一方、「influenza-virus」に新型コロナウイルスの特徴が追加されて「influcorona-virus」

に変異した場合、元から強いインフルエンザの毒素にコロナの感染力が加わり、インフルエンザの拡散力が一気に強くなる可能性がある。

現時点の常識でも「パンデミック（感染爆発）」が一度起きたら、生き残った患者の抗体からワクチンが開発されるが、最速でも4年が必要で、仮に前倒しで短期開発されても、2020年の韓国のように、一般的な「インフルエンザ・ワクチン」を打っただけで48人以上が死亡する事態に陥る。

（※日本のインフルエンザ・ワクチンは韓国製ではない）

特に「ロックフェラー」傘下のビル・ゲイツ（マイクロソフト共同創業者、顧問）の製薬会社「ビル＆メリンダ・ゲイツ財団」が関わるワクチンは、そこにどんな遺伝情報が組み込まれているか分からない。

一度は予防できても、第二波、第三波で別のウイルスに対し壊滅的ダメージを受ける仕掛けが組み込まれているリスクがあるからだ。

日本について懸念するのが、「COVID19」に対する死亡率の桁違いの低さで、これは「京都大学」が指摘する「日本人には既にコロナの抗体が備わっている」からか、「ファクターX」があるからだが、それが次の別種のウイルス（インフルエンザ）との「ツィンデミック（twindemic）」にも免疫の共通性で効果がある可能性がある。

さらにその軍事作戦の目的は当時は未定だったが、在日アメリカ軍の輸送機による「低高度ケムトレイル」でのコロナウイルス散布実験が、今のところ日本人の多くには幸いしているように見える。

その結果発生したのが「コロナ型ウイルス風邪」で、2019年頃から1カ月は治らないしつこい風邪が日本中で流行したが、その感染で喉が異常に痛くなったり目が真っ赤に充血したのも、「低空ケムトレイル」の人体実験のせいと考えられる。

トランプVSバイデン大統領選挙で決まった日本の運命!!

２０２０年11月3日、コロナ禍で行われた「アメリカ大統領選」で、民主党のバイデン前副大統領が当選した瞬間、日本の２０２１年の運命が決まったといえる。

トランプ大統領が再選した場合、お祝いを兼ねて菅首相の早期訪米を模索するはずだった。

基本的に日本は共和党の大統領とは馬が合うが、民主党の大統領とは必ずギクシャクする傾向にある。

特に経済面では共和党と一致するが、民主党の大統領とは必ずしもそうではなく、特にオバマ政権は韓国擁護一辺倒で「日本は韓国の歴史的主張に耳を傾けねばならない」と平然と言ってくる政権だった。

そこで日本と蜜月関係だったトランプ（前）大統領のバイデン批判を改めて列挙してみると、日本政府のバイデン対策が見えてくる。

「バイデンの政策はメイドインChinaだ!!」
「私の政策はメイドインUSAだ!!」
「バイデンではアメリカンスピリットの救世主にならない!!」
「バイデンはアメリカの雇用の破壊者で大統領になればアメリカの偉大さの破壊者になる!!」
「バイデンが勝利すれば中国がアメリカを支配する!!」等々。

これらの発言はトランプ（前）大統領が選挙戦の劣勢から苦し紛れに吐いた毒舌とされたが、八方美人で媚を売るオバマやヒラリー等の従来型の政治家ではなく、トランプは結果を出さないと信用を失うビジネス界の人間と思うと無視できない。

実際、日本政府はバイデンを〝親中派〟と見ており、バイデンが勝利した段階でオバマ路線が復活、それまでトランプが推し進めた「対中強硬策」の締め付けを段階的に弱め、「台湾」への援助も減少、結果的に「台湾」と「尖閣」を中国に奪われる愚策をやってのけると考えられる。

実際、バイデン大統領は次男のハンターに絡む「ウクライナ疑惑」があり、中国との持たれ合いも目立つ政治家だったことは間違いない。

中立的立場から見てもバイデン大統領は従来型の政治家と全く同じで、トランプ大統領ほど大胆な政策構想能力や決断力はなく、中国とも従来通りの利益を共有するスタイルを貫くことが予想でき、習近平にすれば世界制覇に最も利用できる老人となる。

その老齢バイデンがなぜトランプを支持率でリードできたかというと、自由を謳歌するカリフォルニア州のサンフランシスコやロサンゼルスの住民にとって、トランプの共和党的キリスト教精神がうるさ過ぎ、黒人層とヒスパニック層が白人層への反発から反トランプなら誰でもよく、バイデンになったというのが真相である。

一方、トランプが勝利していたら、「パクリ」「恫喝」「国際条約違反」「国家的粉飾決算」で邁進する中国の暴走を阻止できるため、全ての中国企業を遮断する「デカップリング」をさらに加速させ、厳しい対中経済戦争を断行する結果、共産主義で世界を制覇し習近平を王にできると妄信する世界の田舎者国家を叩き潰せただろう。

ところが、バイデンが勝利した結果、黒人層、ヒスパニック層、不法移民重視に税金を振る舞い、それには中国との貿易を復活させて潤沢な利益を得なければならず、中国との二人三脚で「環境問題」と「国内経済」を維持する従来型の政策に戻すことになる。

結果として瀕死の中国を助けて中国を再び調子づかせ、最終的にアメリカの老人を舐めた中国は「台湾有事」を起こし、尖閣侵攻から「日本有事」が勃発する。

アメリカでは〝中国マネー〟に頼るシンクタンクの多くが中国寄りで、そのメンバーがバイデン政権に大量に入ることは間違いなく、「米中蜜月」の中で台湾と日本は無視され、力の空白に中国が一気に付け入ることになる。

仮にトランプが大統領に再選されていたら日本は安全かというと、トランプの背後にいたヘンリー・キッシンジャー（元）国務長官の存在が問題となる。

アシュケナジー系ユダヤのキッシンジャーが企むのは、尖閣を真珠湾にして中国軍を誘き寄せる戦略で、福岡など幾つかの都市を中国に攻撃させることで、アメリカ人の正義感に火が付き、怒りの騎兵隊となって中国を殲滅する戦略だった。

さらに「コロナショック」で世界経済が弱体化して「世界大恐慌」が起き、EUの経済崩壊を呼び水にロシアに限定核戦争の道を開く計画だったという!!

日本にとっては、トランプ政権でバッサリ致命傷を負うか、バイデン政権下で、真綿で首を絞められるかしか道がないことになる。

今のコロナ禍で日本人にできることはただ一つ、コロナを逆利用して「食糧貯蔵」を行う自己防衛しか道はなく、「巨大地震」「巨大津波」の大災害が起きても、中国が日本を攻撃する「日中戦争」が勃発しても、日本経済が崩壊する「世界大恐慌」が勃発しても、食糧の輸出入が止まる「核戦争」が勃発しても、家族と自分の飢え死にを防ぐことが生き残る唯一の道となる。

古今東西の歴史で〝餓死〟ほど無残で残酷なものはなく、世界恐慌時でも戦時中でも「食糧」を握る者が最も強く、それしか道がないという現実に日本人は一刻も早く目覚めなければ、今のコロナの目くらましで手遅れになるだろう!!

新型コロナウイルスが行き着く未来!!④

「第一次世界大戦」でアメリカは「モンロー主義」を掲げてアメリカ以外の国々の戦争に興味を示さなかった……「第二次世界大戦」も同様でナチスの台頭も日本軍の動向も興味を示さなかった……「第三次世界大戦」も同様になる。

アメリカという国は軍事国家で「軍産複合体」により戦争がなければ生きていけない国である以上、先の二つの大戦も絶好の参戦のタイミングを狙っていたというほうが正しい。

今回の世界規模のパンデミック「コロナショック」は日本を含む世界経済の弱体へとつながり、2021年の段階で、日本経済はコロナバブル株以外は悲惨な状況は変わらず、飲食街の惨劇は目を覆いたくなる一方で、仮にコロナが終焉しても日本経済が以前に戻ることは不可能で、倒産する日本企業の数は天井知らずになる。

いずれ地方銀行は連鎖倒産を免れず、新型コロナによる世界規模のパンデミックで先進諸国が「世界大恐慌」に突入するため、日本はお陀仏になる!!

仮にアメリカが国を閉ざし、人と物、国と国の往来が止まると、貿易でしか成り立たない日本は生命線をなくして完全崩壊する。

共和党であれ民主党であれ、もしアメリカが鎖国したら、アメリカでは日本を筆頭に外国製品の輸入が全面禁止され、国内では〝メイド・イン・USA〟の商品だけが並び、フランス産やイタリア産のワインは消え、日本とのビザも消滅する。

経済的有事の場合、外国車の締め出しはアメリカの自動車産業にとって必須となるが、サプライチェーンが寸断されるため、アメリカ国内は経済不況下と変わらず、多くの事業が閉鎖に追い込まれ失業率は高止まりする。

新型コロナによりアメリカ国内では2021年度に感染者とされる者が200万人を突破し、医療制度は全米規模で崩壊、一部の都市は騒乱状態に陥り州軍だけでなく陸軍と空軍も動員される。

が、そういうパニックの中で次々と明かされる情報が黙殺されていく……2021年1月15日「CDC／米国疾病予防管理センター」の正式発表で、アメリカ国内で13万件ものインフルエンザが「新型コロナ感染」にカウントされ、普通の肺炎や心臓発作の死亡も全てコロナによる死亡にカウントされたと発表。

トランプ政権の時、アメリカ政府は「中国ウイルスの侵入を阻止する!!」名目で国境を完全封鎖し、それを切っ掛けにEUともオサラバし一気に「鎖国政策」にエスカレートするかに思えたが、バイデン政権になって再び同盟重視に舵が切られた。

それでもアメリカは、世界が最悪の状況に陥っても、天然資源と人的資本に恵まれた世界でも例外的な国で、アメリカだけで自給自足が達成できる。

が、日本は真逆でアメリカが自国民最優先で「鎖国」すれば見捨てられた子犬同然になる。

中国共産党の暴走で「米中戦争」が本当に起きた場合、中国はアメリカの敵ではないことがスグに分かるが、中国の経済力を失った日本は壊滅し、「年金制度」も連鎖崩壊、23%（カロリーベース）の自給率しかない日本の食糧事情は最悪で、戦中の「配給」にも至らず餓死者の山を築くことになるが、これには米中に巻き込まれる日本の「日中戦争」が省かれている。

一方、中東でも原油価格の大暴落で大混乱に陥り、シーア派のイランが台頭、スンニ派のサウジアラビアを抑え「アラブ首長国連邦」を支配下に置くだろう。

民主党バイデン政権の古い政治思想と体質は今の国際社会では長続きせず、あるいは「バイデン暗殺」が決行されると、結局アメリカは国内分裂の加速化で「NATO／北大西洋条約機構」から抜け、代わりにフランス主導で「ETO／欧州条約機構」に改称された「EU軍」は、中東からキリスト教の庇護を求めて押し寄せるイスラム難民の大量流入を防ぐため、兵力を増員配備することになる。

それを「東征」と危険視したロシアはウクライナ東部を併合、バルト3国との国境地帯に大量の兵員を投入するため、慌てたETO加盟国は徴兵制の再導入に踏み切ることになる。

かくしてコロナショックが起因する経済崩壊が連鎖反応を起こし、アメリカが国内分裂で手を引かざるを得なくなる世界は〝保安官〟不在の無法地帯と化し、一つの火種で「第三次世界大戦」が容易に勃発する!!

中国とロシアはコロナ禍での大混乱のタイミングを絶対に見逃さない!!

特に日本はコロナと油断で経済がズタズタになり、中国との協調重視が本音のバイデン政権は、沖縄と横田からアメリカ軍（海兵隊）をグアム島基地まで撤退させる可能性があり、在日アメリカ軍なき日本となると、中国は恐れるに足らずと核ミサイルを次々と日本本土目掛けて発射することになる。

在日米軍のグアム島移転はトランプ政権下でも討議されたのでSFや絵空事ではない。

バイデン大統領は日中の火種の「尖閣問題」を「日米安全保障条約（第5条）」の適用対象と発表したが、有言実行のトランプ（前）大統領と違い日和見で八方美人のバイデン大統領は、それが日本にとってほとんど役に立たない欠陥条約と知っている。

しかし、この適用は2014年当時のオバマ大統領も明言しており、当時の副大統領がバイデンだったことから何一つ発展した内容ではない。

1997年の「日米ガイドライン改定」で、アメリカ軍は既に日本防衛から撤退しており、それを認めたくない自民党と公明党と外務省の三者が、意図的な翻訳操作でガイドラインの内容を誤魔化しているだけである。

そこには「有事の際、アメリカ軍が日本を守るとは限らない」と明確に記されているにもかかわらず、自民党と公明党は国民を欺き、ほとんど何の意味もない「思いやり予算（2020年度1993億円）」を拠出し、東京の「アメリカ大使館（極東CIA本部）」は今までの4倍を要求するまで調子に乗っている。

1971年、アメリカ政府の機密文書に「在日アメリカ軍は日本を守るために駐留していない。日本の防衛は日本の責任だ!!」とあり、国民は自民党と公明党の猿芝居にまんまと引っ掛かっているのである!!

2015年の「日米新ガイドライン」にも「日本が武力攻撃を受けた際、主体的に防衛するのは自衛隊であり、アメリカ軍の任務は支援のみである」とし「支援」の中身もいい加減にしてある。

これらを総合すれば、バイデンの背後で強力に支援していたオバマ（前）大統領と民主党の〝本性〟が見えてくる……バイデン大統領は中国を追い詰めず、むしろ支援することで「米中貿易」を再開して利益を得たいのだ。

案の定、2021年1月25日、バイデン政権は対中強硬政策を維持すると言いながら、北朝鮮を調子づかせたオバマ政権を髣髴させる「戦略的忍耐（Strategic patience）」というキーワードをジェン・サキ報道官（オバマ政権時も報道官）が使った。

要は、中国と仲良くしたいバイデン大統領の「不戦敗」の姿勢を習近平に向け送ったのである。

このメッセージを受けた中国は、安心して台湾と尖閣への侵略を本格化するだろう。日本は尖閣を失い大挙して押し寄せる中国軍により福岡市など幾つかの都市が壊滅する可能性があるのだ。

この期にロシアのプーチン大統領も国内に渦巻く人気凋落を回復するため、EUに奪われた東欧諸国を取り戻す名目で挙に出て、イランと連合してEU（特にフランスとドイツ）を「ＩＲＢＭ／中距離弾道弾」で火の海にする。

老人と基礎疾患者だけが死ぬ新型コロナ禍など、「第三次世界大戦」の前ではどうでもいい茶番となる。

この中ソの好き勝手な様子に、アメリカはついに団結し、世界の〝賊〟を打ちのめすために正義のラッパを吹きならしながら反撃してくる。

世界はアメリカに諸手を挙げて歓迎し、アメリカ主導の「世界統一政府」が樹立されることになる……。

※主なデータは「Newsweek」２０２０年9月1日号「コロナと脱グローバル化11の予測」特集より抜粋!!

既に世界は「第三次世界大戦」を確実視しているのだ。

Part 7

ビル&メリンダ財団のワクチンの真の目的はヒトの遺伝子操作！

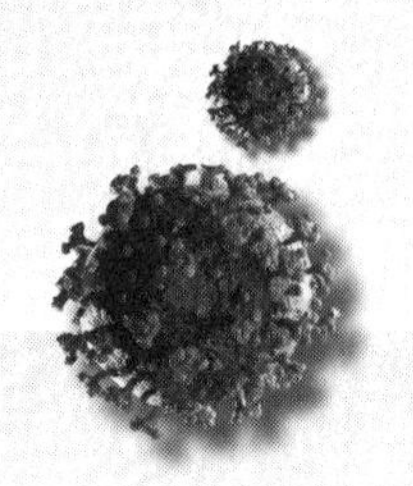

これまでのワクチンとは一変！　遺伝子入れ替えワクチン‼

今回の「新型コロナウイルス（ＣＯＶＩＤ19）」について、「バイオ兵器」「人工ウイルス」よりさらに踏み込んだ指摘が一つの重大な懸念を生んでいる。

今、世界中で開発されたコロナワクチンは、従来のワクチンの〝予防接種〟の概念を一掃する〝遺伝子治療〟の分野に突入し、さらに製薬会社のあらゆる責任が免除されている。

人の手で加工された〝遺伝子〟を体内に注入することで、体に本来備わっている〝抗原抗体反応〟を使い、一般人に予想できない〝別物〟を創り出す仕掛けが隠されているのではないかとの懸念である。

本来の「予防接種」は病原体（抗原）に似た一歩手前の物質（ワクチン）を接種し、それで体内の「抗体」を生成させ、その抗体が抗原と結合して無害な物質に変換、それを体外へ排泄（放出）させる仕組みである。

ワクチンには「不活化ワクチン法」と「弱毒性ワクチン法」があり、前者は感染力を人工処理でなくしたウイルスを使用、後者はウイルスの毒性を弱めた処理の「生ワクチン」として使用する。

インフルエンザウイルスの15倍の長さがあるとされるＲＮＡにどんな遺伝情報が潜んでいるか全く未知数だが、「ＣＯＶＩＤ19」をＳＡＲＳと日本の「川崎病」「ＨＩＶ」を融合させ、人工因子を加えて製造した製薬会社が「ビル＆メリンダ・ゲイツ財団」であり、顧問のビル・ゲイツが「ＮＢＣ Ｎｅｗｓ」に登場、新型コロナワクチンについて新たな見解をこう述べた。

ゲイツは第1世代のＣＯＶＩＤ19ワクチンが利用可能になった後も、2度のワクチン接種が必要とし、真にＣＯＶＩＤ19と対抗するには複数回接種が必要と力説した。

その半年前、「Ｆｏｘ Ｎｅｗｓ」でゲイツは「ワクチンが世界中に行き渡るまで事態は本当の意味で解決しない」と述べ、2度目のワクチン接種を想定していた。

それには仕掛けがあるようで、「ビル＆メリンダ・ゲイツ財団」のワクチンは予防が目的ではなく「遺伝子治療」が目的で、ある種の「人工遺伝子」を人体に埋め込むことが最大目標だったようだ。

それは「ビル＆メリンダ・ゲイツ財団」が開発した〝遺伝情報〟を世界中の人間に注入、それには人工ウイルス「ＣＯＶＩＤ19」の蔓延が不可欠で、だから確実に2度の人工ワクチン接種が必要となる……

恐ろしいのは、今回の世界的ワクチン開発の裏で進行するスピード感最重視の傾向である。

まともな医師なら急ぎ過ぎるワクチン開発と体内接種に懸念を持つはずで、ワクチンの安全性を調査する「Risk and Decision Scientce and Director of the Vaccine Confidence Project」のハイジ・ラーソン教授は「ＷＨＯ／世界保健機関」で以下の発言をしている。

「医療現場の最前線で医薬品提供者と医療提供者の間に重大な信頼性の欠如が出始めている」

ビル・ゲイツが世界規模でやろうと企てる〝遺伝子入れ替え（組み換え）〟が生み出す結果は、新型タンパク質で合成される「未知の物質」の可能性がある!!

それを体内で形成させるには「ｍＲＮＡ／メッセンジャーＲＮＡ」を脂質に包んで隠さねばならず、それを確実にするのに2度のワクチン接種なのだ。

「世界統一政府」の樹立がロスチャイルドとロックフェラーが目論む「世界人口5億計画」なら、彼らの配下のビル・ゲイツが、人をウイルス感染した「端末」に見立て、その端末に注入するワクチンに仕掛けがある場合、ビル・ゲイツ次第でいつでも「端末」を破壊することが可能となる。

「ＰＣＲ検査法」を否定する発明者でノーベル賞学者の不審死!!

「ＰＣＲ検査」については「ダイヤモンド・プリンセス号」以来、次々と変化する社会情勢と国際環境の中、ついに「ＰＣＲ検査」の根本を否定すべき時が来たようだ。

今や日本も東京を中心に「ＰＣＲ検査」を徹底しているが、その「ＰＣＲ検査」その物が間違いとする重大情報がある。

それを主張するのが何と「ＰＣＲ／ポリメラーゼ連鎖反応」を発見したキャリー・マリス（Kary Mullis）教授本人だ!!

１９９３年、「ＰＣＲ」の発見で「ノーベル化学賞」を獲得したアメリカの生化学者は、翌94年、自分の発見がウイルス検査法に使われることに強い懸念を表していた。

「私の発見が間違った道に利用されることに重大な懸念を抱いている!!」

「ＰＣＲ検査は世界から消し去らねばならない!!」

「患者救済の道とは戯言で、世界中の患者を不幸のどん底に落とす役割に悪用されてしまった!!」

「私の子供だったＰＣＲが怪物と化した今、誰が打ち滅ぼしても構わない!!」

（『Uncoverdc』２０２０年4月より抜粋）

マリス教授は、ＰＣＲの悪用を防ぐため「診断と治療には絶対に用いてはならない!!」と言い切ったが、これはどういう意味なのか？

実はＰＣＲを医療検査に用いた場合、その性質上、全く正常な人の80％以上に何らかの〝偽陽性反応〟が出てしまうことが最初から分かっていたという。

その理由はＰＣＲの大きな特徴である「遺伝情報」の一部（断片）を検出できる能力にあり、それだけで検査をすると、尻尾を検出して動物の全体像を決める愚行につながるという。

一つの例えではあるが、人の体は4つの塩基の対でなる、30億の細胞で成り、各人特有の違いはごくわずかで、遺伝子の約99・9％は隣人と同じとされる。

物理学者のリッカルド・サバティーニは、人の遺伝暗号「ヒトノゲム」を印刷した26万２０００ページ分の１７５冊を公開したが、人特有の遺伝子はわずか５００ページに過ぎないという。

これは「ヒトゲノム」の大部分が、動物全般と共通するためで、２００５年、猿のチンパンジーと人は遺伝子的に96％類似すると公表された。

２００７年、猫のアビシニアンの遺伝子の90％が人と類似と判明、２００９年、家畜の牛の遺伝子は80％が人と共通すると判明した。

それどころかミバエの病原遺伝子の61％が人と共通で、鶏の遺伝子は60％が類似、さらにバナナのＤＮＡの60％が人と同じだった!!

「理化学研究所」の発表では、人と猿の１・23％の違いの中のＤＮＡを収納する染色体の１本を分析した結果、遺伝子の作るタンパク質の８割が違っていたという。

とはいえ、バナナの遺伝子の断片を「ＰＣＲ検査」した結果、人の細胞と判定されてもおかしくない現状となれば、何をか言わんやである。

さらに最後の謎がある……「ＰＣＲ検査」を否定する発明者のマリス教授は、中国で最初の新型コロナウイルスの死者が発生した２０１９年と同じ２０１９年８月７日、カリフォルニアの自宅で不審死を遂げている。

検死結果は「肺炎」だったが、某所の計画にとって邪魔になったマリス教授の口封じのため、世界最初の「ＣＯＶＩＤ19」による肺炎死の可能性がある。

「CDC」と「厚生労働省」のコロナ感染死亡者数が相当な水増しと判明!!

「CDC／米国疾病対策センター」はアメリカの予防医学の最高機関で、ジョージア州アトランタにある保健福祉省所管の感染症対策の総合研究所である。

その「CDC」のレッドフィールド（前）所長とトランプ（前）大統領は、「COVID19」対策で意見が合わないことが多く、特にマスクに否定的だったトランプ（前）大統領の「その内に状況が好転する」発言に「終息には程遠い」と反論、ホワイトハウスのスコット・アトラス医師の発言に対しても「全て誤っている」と否定していた。

全米のマスメディアは「CDC」の分析こそ正確で正しく、トランプ（前）大統領の意見は全て無責任でいい加減と報道、徹底抗戦でトランプ（前）大統領の非難一色で結束した!!

「ジョンズ・ホプキンス大学」による「COVID19」の感染死亡者数は、2020年9月の時点で20万人を超え、2021年1月1日までに死者は37万8000人に達するとし、

2021年1月25日付で41万7902人に達した。

トランプ政権末期、アメリカの新型ウイルス感染者は600万人超え、その中でもトランプ（前）大統領は「ウイルスは奇跡のように消え去るだろう!!」という発言を繰り返し、危険性と対策を訴える専門家の警告をほとんど無視しているように見えた。

それが「アメリカ大統領選挙2020」に大きな影響を与えた可能性があり、トランプ（前）大統領は馬鹿で「CDC」が正常という空気が全米の知識層に漂っていた。

しかし、実際は「PCR検査」が全く出鱈目な検査法（PCR発見者のキャリー・マリス自身がそう訴えている）で、80％以上の偽陽性、陽性患者を生み出す似非装置と化していた事実を絶対に忘れてはならない。

「CDC」は国民の健康の守護者として、今も「PCR検査」の徹底拡大を推し進めているが、同時にトンデモない裏工作を行っていたことが暴露されたからだ。

「CDC」が全米の医療機関に通達した命令書が物議を醸しだし、そこに「PCR検査で陽性反応が出た者の死亡は、いかなる場合でも〝コロナ死〟と死亡診断書に記入して政府に報告するよう命じる」とあった!!

それだけではない、病院がその報告書を出すたびに日本円換算で140万円が支給され、それほどでなくても「人工呼吸器」を患者に使うだけで400万円が政府から支給されるよう仕組んでいたのだ。

だから全米で「人工呼吸器」があれほど不足していたのである。

ではトランプが言うようにマスクなどせずとも「ＣＯＶＩＤ19」は消滅するのかというと、少なくとも何もしない対策のスウェーデンではそれが達成されつつあった。

スウェーデンの大多数の国民は以前と何も変わらない日常を送りつづけ、むしろ風邪程度の感染者を増大させることで「集団免疫」を達成しようとしていた。

ところが、スウェーデンの国民は、政府の指針を軽く扱い守っていなかったため、人口1000万人の国で死者が約8000人に上っても、人々は混雑したショッピングモールで買い物をし、バーで互いに密接して過ごしたとされる。

実は「ＣＯＶＩＤ19」は白人の細胞の受容体「レセプター」を基礎に人工的に創られたウイルスで、「レセプター」の形が違う日本人なら大丈夫でも、白人の場合はそうはいかない点が確かにある。

むしろビル・ゲイツは、国際社会を支配する白人に強烈なダメージを与えることで世界中を混乱させ、有色人種にも連鎖反応を起こして全世界パニックに陥れる計画だったと思われる。

当時、「ストックホルム大学」のトム・ブリトン教授は「スウェーデンの人口の40％が感染で免疫（抗体）を持てば、集団免疫が達成する!!」と断言、実際、スウェーデンでは途中までは達成されていたかに見えた。

むしろロックダウンや国境封鎖をすれば、「COVID19」は感染拡大から次々と変異を繰り返し、さらに多くの命が失われるとしていた。

が、これは日本ならうまくいく対策で、「京都大学」の山中教授が断言するように「日本人はファクターXを持っている」ため、欧米と比較しても死者数が圧倒的に少ないのだ。

言い換えれば、日本は一刻も早く自由経済に戻さないと、冬を生き延びた「COVID19」の変種の影に怯えながら、日本経済が徹底的にやられる可能性がある。

「厚生労働省」の2020年11月7日の発表では、新型コロナの感染者数（PCR検査）は10万5914人、死亡者数は1809人だが、当時の段階でこの数字（特に感染死者数）は非常に怪しいのだ。

2020年6月18日付で「厚生省新型コロナウイルス感染症対策推進本部」から全国都道府県の衛生担当者宛の通知書に発信された内容に、「PCR検査で陽性反応が出た患者で亡くなった場合、厳密な死因を問わず、新型コロナの死亡者として全数を公表するように命じる」とあるからである!!

それで死亡者数を増やして恐れさせ、日本政府はしなくてもいい民間経済封鎖を自虐的に行わせたことになる。

そんな中、飛び出したのがアメリカの「ＣＯＶＩＤ19」の死者数の内、13万件がインフルエンザによる死亡、普通の肺炎死や心臓発作などによる死亡がコロナ死としてカウントされていた事実が判明、老人の死者数に限ってはコロナ禍以前と同じ事実も判明した。

果たしてトランプ（前）大統領はただの無能で馬鹿な大統領だったのだろうか？

日本人はそういう欧米データをもとに「オオカミ少年症候群」に陥っている‼

ＰＣＲ検査に意味はない！　トランプは正しかった‼

ブラジルのリオデジャネイロの丘「ポン・ヂ・アスーカル（砂糖パン山）」近くの貧民街「ファベーラ」の凄まじいクラスター（感染爆発）は、最近では「集団免疫」が確立されて一時期の勢いは収まっているという。

コロナ禍の死亡者が「ＰＣＲ検査」の疑似感染者なら全てカウントする方針を立てていた「ＣＤＣ／アメリカ疾病予防管理センター」にトランプは異を唱え、実際、「ＰＣＲ検査」の8割以上がジャッジミスで、ＰＣＲ発見者のノーベル賞学者キャリー・マリス自身も検査への使用を禁止していた。

だからトランプ（前）大統領の発言の意図は、元々間違った結果を出す「ＰＣＲ検査」の感染者数に意味はなく、そのＰＣＲの疑似感染者の死者数も意味がないとする発言に、民主党のバイデンやオバマを含む旧態依然とした政治家や、それで食ってきた全米マスメディアの猛烈批判にトランプ（前）大統領は「大統領選挙」の間も晒され続けたのである。

２０２０年11月12日、アメリカの電気自動車メーカー「テスラ」のイーロン・マスク最高経営責任者（ＣＥＯ）は、新型コロナウイルス感染症の「ＰＣＲ検査」を受けたところ陽性と判定された。

が、同日に別の所で検査を受けたところ、3回の内の2回が陰性と判定され、「ＰＣＲ検査」のいい加減さを体験し、「相当いい加減なことが（全米で）行われている!!」と警告した。

一方、「ＣＯＶＩＤ19」と「黒人暴動」を利用した民主党のジョー・バイデンは、11月9日、新政権の新型コロナウイルス流行対策を率いる「専門家チーム」を発表、アメリカ国民に対しマスクの着用を義務化し、ウイルスを打ち負かすアメリカ国民と民主党の〝共有目標〞を打ち上げた。

バイデンはコロナ禍を最大限に利用するため、疫学者、免疫学者、生物兵器防衛専門家ら13人の「移行COVID19諮問委員会（Transition Covid-19 Advisory Board）」の発足も発表した。

その中に、2020年4月にトランプ政権により「BARDA／生物医学先端研究開発局」の局長を解任されたリック・ブライトも含まれ、バイデンが大統領になったため「PCR検査」の膨大な感染者数と、死亡者が疑似陽性者なら全てコロナ死に加える方針が優先され、「経済」より「都市封鎖」もあり得る布陣で臨むことになる。

「テスラ」のイーロン・マスクは「ただの風邪の症状に過ぎなかった」と証言しているが、それが事実なら、日本人に大きなショックを与えた志村けんのコロナ感染死の時、一部で言われたように志村けんは元々1日3箱の煙草を吸うヘビースモーカーで「肺気腫」を患っていた上、酒の飲み過ぎで2018年に「肝硬変」を患い、亡くなる2020年には胃の切除手術も受けていた。

要は健康な人間が突然「COVID19」に感染して命を失ったのではなく、「COVID19」で複合的な症状が発生し最後に肺炎を患って死亡したことになる。

日本人は、志村けんの死亡で「COVID19」を必要以上に恐れてトラウマに陥ったとすれば、トランプ（前）大統領の発言と行動は馬鹿にしか見えないだろう。

元々、老人の死亡原因の多くは、風邪、インフルエンザ、誤飲などによる肺炎死である。

一方、アメリカ人がマスクを嫌う理由は、西部開拓当時の「馬の轡（くつわ）」を連想するからとされ、口が封じられ喋れない人間の姿に見えるからというが、バイデンが目指すのは案外それなのかもしれない……。

Part 8

GHQが日本に施した新奴隷制度がコロナ禍で完成する！

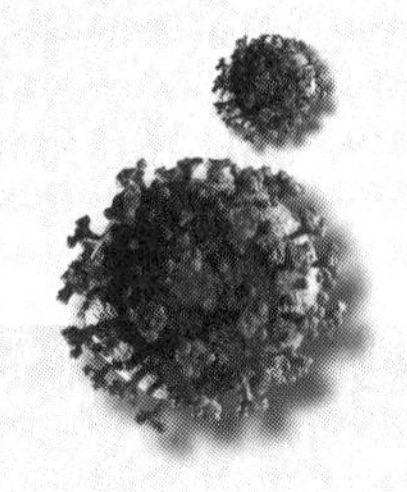

マッカーサーの裏にいたのは、ロックフェラー（ユダヤ）！

「太平洋戦争」に敗北した日本に戦後やってきた進駐軍のボス、ダグラス・マッカーサーは一面の焼け野原となった東京を新たな時代の計画都市に造り直そうとした日本の関係者にこう言い放った。

「敗戦国にそんな立派な都市は相応しくない!!」

戦後、「GHQ／連合国最高司令官総司令部」の占領政策による教育で、日本は「ポツダム宣言」を黙殺した結果、アメリカ軍は本土決戦を余儀なくされ、その際に失われる数万の若い米兵の命を守るため、仕方なく原爆を使った……と教えられてきた。

しかし、それは大きな嘘と方便で、アメリカ軍部は上下両院議会にも原爆を秘密にし、独断で陥落間近の日本に原爆を2発も投下し、トルーマン大統領にも広島と長崎には軍人しかいないと嘘をついてサインをさせていた。

しかし、昭和天皇の憲法違反とされる「玉音放送」が流れた結果、テニアン島から発進する「B－29」による計17発の原爆投下で日本人全員を焼き殺す計画が泡と消えてしまう。

「ポツダム宣言」を受け入れた日本に原爆を落とせなくなったアメリカを代表し、マッカーサーは「昭和天皇だけは許さない!!」と厚木基地に降りたったが、東京に乗り込む自分の車を守るため、道路に整然と並ぶ日本兵の姿を見て、天皇を処刑した場合の日本人の反発と大混乱に一抹の不安を覚えたという。

そのマッカーサーの背後にいたのがロックフェラー（ドイツ系は嘘）のアシュケナジー系ユダヤで、8～9世紀にかけてユダヤ教に改宗しユダヤ人になった宗教的白人種だった。彼らは本物の血統的ユダヤ（ヤハウェの民＝ヤ・ゥマト）の存在を恐れつづけ、地上から消し去るか、徹底的に抑え込んで二度と立ち上がれなくするかどちらかだった。ヤ・ゥマトを根絶にできなかったため、代わりに日本人を支配する階層に日本人と似た在日朝鮮人が多用された。

それを「WGIP／戦争罪悪感プロジェクト」といい、李承晩(リショウバン)に「竹島」を与えたマッカーサーは、韓国が日本を徹底的に責め立て蔑むよう指導、傀儡(かいらい)の自民党から韓国へ莫大な援助金を半永久的に支払わせると密約した。

その後、戦後景気を経てバブル時代に「japan as no.1」の時代を迎えるが、「アメリカ大使館（極東CIA本部）」はある男を日銀総裁に押し上げる。

１９８９年12月、バブルのピークに「日本銀行総裁」に就任した三重野康は、当時の「日経平均株価」３万８９１５円の史上最高値をつけたことを許さず、禁断の手口とされる「急激な金融引き締め」に踏み切る。

これは高速道路を全速で走る自動車に急ブレーキをかけるのと同じ愚行で、「公定歩合（当時の政策金利）」を３・75％から４・25％に引き上げた結果、株価、地価が一気に急落する!!

これを経済用語で「ハードランディング」といい、「日経平均株価」が急落すると同時に２万円を割り込み長期の下落基調に転じた後、一気にバブルが崩壊した。

結果、「不動産担保」の融資が担保割れを起こし、銀行の「不良債権」が急増した結果、危機感を感じた「日銀」があわてて利下げに転じたが既に手遅れで、一度逆回転を始めた資産価格の下落は止まらず、金融が目詰まりし、日本経済は現在に続く超長期低迷期に入ったのである。

その後、アメリカは朝鮮系の小泉純一郎を自民党総裁に押し上げるため、邪魔な日本人の自民党国会議員を次々と「抵抗勢力」に認定させ、そこへ日本名にロンダリングした在日コリアンを次々と選挙区に落下傘降下させ、自民党から邪魔な日本勢力を一掃した。

と同時に、竹中平蔵を経済財政政策担当大臣にして「富める者が富めば、貧しい者も自然に豊かになる」嘘の「トリクルダウン理論」で日本人を騙した。

実際、大企業を優遇した竹中の理論は、「正社員」を減らし「契約社員」「派遣社員」を激増させて「中流層」を日本から激減させた。

一方、優遇された大企業は小泉改革で得た莫大な利益を「内部留保」「タックス・ヘイブン（租税回避地）」に蓄え、労働者にはほとんど回さなかった。

結果、日本人はどんどん貧しくなり、若者は結婚できない状況に置かれ、当然、少子化も止まらなくなった。

これは日本人奴隷化を計画したマッカーサーの思惑通りで、戦後、ＧＨＱの下部組織「ＣＩＥ（Civil Information and Educational Section）／民間情報教育局」が計画した大企業に在日コリアンを無試験で入れる「在日就職枠」が駆使された。

それを「ＧＨＱ」を引き継いだ「アメリカ大使館（極東ＣＩＡ本部）」が徹底させた結果、全国の大学、大企業、新聞社、ＴＶ局、警察、芸能界どころか、霞が関、政界まで朝鮮民族が占め、李氏朝鮮系の安倍内閣が2万人規模の韓国人を大企業に就職させたため、いずれ日本人は彼らの下で働く下僕か労働力を提供する奴隷となる。

そこへ「新型コロナウイルス」のパンデミックが世界規模で襲い、比較的小さな被害で済んでいる日本で、アメリカの傀儡である自民党と、アメリカにカルト指定を解いてほしい創価学会・公明党は、弱小店舗や中小企業を根絶やしにする「PCR検査」を全国に拡大させ、結果として出てくる感染者数に怯える日本を作り上げている。

WGIP（戦争罪悪感プログラム）と在日朝鮮人

敗戦の日本に進駐した「GHQ／連合国最高司令官総司令部」のCIEが作った「WGIP（War Guilt Information Program）／戦争罪悪感プログラム」は、日本人の特質（気質）を利用したアメリカの新奴隷化制度だった。

大和民族は「自制」「自粛」を旨とする民族で、日本に初めてキリスト教を伝えたイエズス会のフランシスコ・ザビエルは「この国では一度隅々までキリスト教に感化された跡がある」と書簡を残すほどだった。

その日本人を支配するため、大和民族の性癖を逆手に取り「自虐趣味」に持っていくのが「WGIP」の目的で、それには「日韓併合」で日本人と同じ資格と権利が明治政府から保障された在日朝鮮人を利用することだった。

今もNHKを筆頭とするTV局や新聞社は「日韓併合」を〝植民地〟と決めつけるが、イギリスの植民地だったインドにイギリスが同格の権利を与えたことはなく、それこそが植民地である。

朝鮮民族は漢民族同様に大陸系の気質が強く、多くは遠慮、恥、敗者の美学はなく、日本の芸能界で名を成す芸人や歌手も、悪口、無遠慮、傲慢を売りにしてのし上がっている。

マッカーサーは厚木基地に到着した後、在日朝鮮民族ネットワークを通じ「在日朝鮮民族を進駐軍とみなす」としたため、朝鮮民族は「戦勝国民」「朝鮮進駐軍」と自らを称して好き勝手が許され、今も一等地の駅前にコリアン系&朝鮮系のパチンコ店が並ぶのも無償でGHQから与えられたからだ。

さらにGHQは日本政府に「在日特権」「在日就職枠」を義務化させ、全ての大企業に在日朝鮮民族を無試験で採用するように指導、「読売新聞社」は「WGIP」の存在が暴露され始めたため、大慌てで2020年からの「在日就職枠」を撤廃している。

同様のことは大学入試でもあり、国立大学系に在日なら入学でき、私大は裏口の金を積まなくても在日特権で入学でき、同点の場合は在日朝鮮民族が日本人を抑えて入学できた。

2018年8月7日、「東京医科大」の行岡哲男常務理事と宮沢啓介副学長（学長職務代理）が記者会見の場で深々と頭を下げる事態が起きた。

2006年から女子受験生に対し、大学側が勝手に一律減点していた事実が明るみになり「恣意的操作」を行ったことが発覚、それればかりか一般入試以外の推薦入試と地域枠入試でも不正操作があったことで前代未聞の不祥事に発展した。

特に女子受験者排除の理由を、大学側の「女性は結婚や出産で医師を離職し、短時間勤務になるため、女性医師を避けたい気持ちが働いた」と釈明したが、これは大きな嘘で女性医師の労働力率は一時的に結婚と出産で低下しても、育児が落ち着くと再び上昇する。

つまりこの手の不正はマスコミが報道するような「男女差別」「女性蔑視」ではなく、排斥した女子受験者の代わりに在日朝鮮民族の男性受験者が入れ替えるシステムということだ!!

2020年7月1日、神奈川県川崎市で「川崎ヘイト禁止条例」が施行され、以後、在日コリアンや朝鮮人に対する不満、怒りの言葉、反発行動を一切禁じることが決まった。

これらを「ヘイトスピーチ」と一括りにした上、たとえデモであっても「刑事罰」を科し、逮捕もできることになった。

一方の韓国では日本や日本人に何を言っても構わず、反日は愛国的であり、むしろ教育現場で「ヘイトスピーチ」を助長さえしている。

行き過ぎるヘイトスピーチには反対するが、デモを行っても逮捕する川崎市長や川崎市議会の議員が一体どんな人物か、興信所を使ってでも徹底した調査をする必要があると思われ、それも川崎市民の権利の一つである。

同じ権利は国民にもあり、自民党や野党の党首、国会議員の多くが在日コリアン・在日朝鮮人で占められているか否か、それを興信所に徹底調査させることぐらいは認められているはずであろう。

そうでないと中国軍の日本侵略を防ぐ「自衛隊」に命令を下すのが朝鮮民族ばかりとなり、コロナ禍で日本人の命を守る最小限の基準すらこの国では危うくなる。

自民党（在日コリアン）に誘導される先は地獄と思え！

発見者のキャリー・マリス自身が表明したように、「ＰＣＲ検査」は全く信頼のおけない代物であり、無数の陽性＆似非感染者数を弾き出す検査法で、「ＰＣＲ検査」を拡大させるほど感染者数が増える仕掛けを創り出した。

これはスウェーデンの対コロナ戦略が本当に失敗だったのかという重大な疑念につなが

る事態だ!!

結果として8割～9割が他のDNAを「COVID19」と測定、陽性者と疑似陽性者が亡くなると全て「新型コロナ感染死」として数えるため、日本でも東京、大阪、名古屋、札幌などの大都会では感染者数が検査拡大と共に激増する仕組みとなっている。

結果、「Go Toトラベル」の一旦停止が起き、特定の国以外の入国を禁止し、東京の旅行者の敬遠、隣接県が都心からの移動抑制をお願いし、「コロナ差別」を恐れて検査を避ける人が出始めている。

今回の〝コロナ怖い〟の「オオカミ少年症候群」により、自分の県、市、町、村への感染を恐れる「地域主義」が加速している。

その先に見えるのが「トヨタ方式」に代表される〝必要なものは、必要な時に、必要な分だけ調達〟する「在庫ゼロ／ジャスト・イン・タイム生産システム」の崩壊で、コロナ禍で完全に終焉した。

東京大改造も同様、次々と生まれる巨大オフィスビル群も「COVID19」の出現で「テレワーク」が登場した結果、都内に本社を持つ企業は確実に激減している。

次に来るのが「地域経済崩壊」で、これが「PCR検査」が似非感染者数、似非感染死数を拡大させ、国と国が国境を強化、コロナ禍でドイツとフランスがイタリアへの医療品の輸出を禁止する事態に発展した。

〝コロナ怖い〟の合唱連呼で、危機的事態を想定する様々な品物の流れが門戸を閉ざす国際社会が予測され、同じ現象が日本の地方の「東京もんは来るな!!」である。

日本は主食の「米」以外は自国内で調達できる仕組みが乏しく、「小泉改革（改悪）」で中流層の空洞化が加速し、自民党政権下で国民が貧しくなった結果、「長いものには巻かれろ」「寄らば大樹の陰」が蔓延、安倍晋三が日本国王のように振る舞っても安倍首相にあやかりたい若者世代が激増した。

日本中が〝一億総中流〟の頃は「学生運動」「市民運動」「労働運動」が活発だったが、竹中平蔵の「ジャンボジェット機（日本）の前輪（大企業）が先に浮き上がれば（税制優遇）、次に後輪（国民）が浮上してジャンボ機が空高く舞い上がる（好景気になる）」大嘘（トリクルダウン理論）に日本中が騙された結果、小泉改革で莫大な利益を得た大企業は、その粗利益を「社内留保」「租税回避地（タックス・ヘイブン）」に回して労働者と中小企業にほとんど還元しなかった。

結果、若者の多くが数十年間も続く「契約」「派遣」に振り回され、技術や経験の蓄積ができず、コロナ禍で経済活動が非活性化した上、貧困化が進むと国民の権利意識は萎縮し、「政治運動」も沈静化して、自民党と創価学会・公明党に頼るしかない現象、あの小池東京都知事同様の手口による〝コロナ様々〟となる。

これから先、さらに日本中が〝オオカミ少年化〟すれば、自民党はコロナ禍で安定状態が維持でき、創価学会・公明党もコバンザメの恩恵を受け続けられる。

周囲の地域経済が新型コロナで回らなくなる様子は国民には効果的で、統治側がコロナ危機を煽れば煽るほど、統治コストを減らして国民を「無権利状態」に落としやすくでき、「福祉制度」の低下もコロナ禍で仕方がないとなり、就職できない「社会的弱者」も「コロナでは仕方がない」「何でも公的支援を期待すべきではない」の治政側優位の社会が出来上がる。

結果、国民は貧しくなればなるほど口を噤み、黙って下を向き、圧倒的議席数を維持する自民党に頼るしかなくなる。

ところが、今や自民党の大半は在日コリアンが占め、創価学会・公明党は在日朝鮮人が占める中、日本人は朝鮮民族の監視下でアメリカのステルス支配の奴隷となっている。

それが「日本人を無権利な状態に落とせば監視する必要がない」とする究極の自虐制度で、マッカーサーの「WGIP」の完成系である。

その最後の一手が、東京の「アメリカ大使館（極東CIA本部）」が韓国と手を組んで企てる天皇徳仁陛下を「国賓」として韓国に呼ばせ、その途中か戻りの飛行機事故で崩御させることではないか。

その後、既に皇位継承を前から否定してきた秋篠宮文仁親王が自らを「上皇」（現・上皇が崩御することを前提）に格上げ、李氏朝鮮の小室圭（海の王子）が秋篠宮の長男の悠仁親王が成長するまで天皇（準天皇）となる仕掛けであろう。

そのときの総理大臣が朝鮮民族の小泉進次郎にする計画で、これで祭政一致の「ヤングコリアJAPAN」が完成し、マッカーサーが夢見た「李氏朝鮮JAPAN＋韓国＋北朝鮮」の朝鮮民族の三位一体が完成、日本人はアメリカと朝鮮民族に尽くすだけの下層民扱いとなってしまう!!

内から（在日コリアン）も外（CIA）からも「日本解体」は進む！

自民党と創価学会・公明党にとって昨今の「コロナ禍」によって国民の政治意識が希薄化し、若者の食わねど的「貧乏マッチョ層」の登場で、国民総出で我慢を強いる「同調圧力」が正義となり、その動きに逆らう者は「非国民」「国賊」と扱ってもよくなっている。

我慢といっても、昔の日本のように互いに顔見知りで醤油を貸し借りする時代と違い、都会ほど顔見知りでもないため、皆が互いに協力して守り合う感覚は極めて希薄なのが現代である。

今の「コロナ禍」での我慢の意味は、経済の坂道を皆で一緒に転がり落ちる風潮を受け入れ逆らわないことで、仮に従わない店があれば東京都が公権力でその店名を公開するか罰則を与え、政府が勧める「過料」という名の罰金を徴収することになるが、本当にその行為は正常なのか？

日本では昔から「相互支援」の互助的つながりがあり、それを寸断したのがアメリカ式マーケッティズムと自民党である。

アメリカ式マーケッティズムにとって、長年培われた「日本式相互支援ネットワーク」の存在は邪魔以外の何物でもなく、隣どうしで商品やサービスを活発に行き来されると、巨大資本主義からは困ったことになる。

だから「巨大ショッピングモール」「巨大スーパー」が次々と「地域商店街」を壊していったわけで、特に商店の「御用聞き」は日本の「互助的サポート構造」を代表するもので、これを破壊し地方を切り捨てたのが小泉純一郎である。この男によって地方はシャッター街と化し一気に疲弊に向かっていった。

小泉純一郎と似非経済学者の竹中平蔵は、日本の血縁と地縁共同体を解体し、「郵政民営化」によって地方郵便も一変させた。

民営化した郵便局の上層部に得体のしれない連中が納まると、たちまち「簡保制度」を詐欺まがいのシステムに変貌させ日本中の老人を食い物にしていった。

地方を分断し、国民をバラバラに孤立させれば生活のためだけに働く愚民に成り下がり、ひたすら必要な商品を巨大市場で買い求め、その日暮らしの生活を維持するにも絶えず調達しなければならないため、「アメリカ式巨大資本主義」でそういう日本人を支配するには古臭い「日本式相互支援ネットワーク」を消し去ることだった。

統治者にとって国民を分断して孤立させれば、無力感が増幅して反政府デモに参加する意欲が減退、デモそのものを〝恥〟と思うようになっていく。

つまり日本政府（自民党政権）とアメリカの「巨大マーケッティズム」は利害が一致し、国民を分断させた後、誰からも贈与されず、支援もされない状態に置くと、「個人的消費活動」が逆に活性化する。

特に「コロナ禍」は統治者にとって利点ばかりで、日々TVで怖い怖いのオオカミ少年ぶりを発信すれば、「おひとり様」「デリバリー」「テレワーク」「ベランピング」「おうちキャンプ」等、食費の消費活動が活性化する上、家に引きこもるので統治がしやすくなる。

一世帯の家計の消費支出に占める飲食費の割合を『エンゲル係数』というが、収入が多く安定していれば食糧にあくせくせず係数は下がるが、逆に生活が貧しく不安定化すると、消費支出の食費が多くなり高い比率となるため、食費の活発化は日本人の貧しさを証明する。

ＣＩＡが指導する先には、弱者をさらに弱者にする仕掛けがあり、まず自民党が企業に社員の副業を認めさせ、その分給料が減っただけ他の弱者と食い合いをしながら競争する仕掛けを作る。

どういうことかというと、副業によってさらに皆が弱者となり、中間層が消えることから社会格差がさらに拡大するのである。

これが究極の合理主義競争社会で、既にアメリカは自分のサービス度が瞬時に「コモディタイズ／commoditize」され、困ったら呼んで、必要なければ解雇できるシステムが常習化し、この社会を「オンデマンド・エコノミー／on-demand economy」という。

使い捨ての日本人奴隷を「ＷＧＩＰ」で企業や政界に潜り込んだ在日コリアンの上層部が、使い捨てになる日本人を眺め降ろす近未来社会が既に完成段階にある。

日々、食うだけで精一杯になる日本人は、少しでも職にありつけるよう、自分の労働力を値引きする結果になり、それを「底辺への競争／Race to the bottom」という。

これが東京の「アメリカ大使館（極東ＣＩＡ本部）」が目指す日本人奴隷化計画の一端で、日本は在日韓国系の自民党と在日朝鮮系の創価学会・公明党により、〝一億層奴隷化〟への道を着実に歩んでいる。

その直後、中国と戦争が起き「自衛隊（国防軍）」が国家公務員扱いで隊員募集（19歳から）をすれば、極貧の若者たちが国家公務員の肩書が欲しいため一斉に応募することになる。

Part 9

ワクチンは打つな!
飲むな!! 死ぬゾ!!

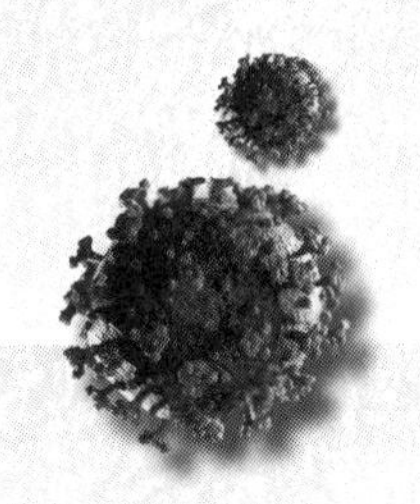

専門家ほど今は打たない「新型コロナワクチン」!! ①

欧米を中心に始まった「新型コロナウイルス／ＣＯＶＩＤ19」のワクチン接種だが、イギリスではボリス・ジョンソン首相が率先して接種をアピールしている。

イギリスで〝第三形態〟に変異した「ＣＯＶＩＤ19」だが、イギリスでは２０２０年12月8日からアメリカの製薬メーカー「ファイザー」とドイツの「ビオンテック」が開発したワクチンの接種を始めている

が、日本の「順天堂大学」医学部の非常勤講師で免疫学研究者の玉谷卓也薬学博士はこの動きに懐疑的である。

「開発されたワクチンは、副反応（副作用）も感染予防効果も未知数です。これまでワクチンの開発がこのパンデミックを抜け出すことにつながると考えられてきました。が、ワクチンだけでは解決が難しい可能性も見えてきました」

さらに続けてこう断言する「専門家ほど今は打たない!!」と。

2020年12月14日からアメリカでも対新型コロナウイルス・ワクチンの接種が始まり、既に臨床試験で90％以上の予防効果が確認されたというのに「専門家ほど今は打たない‼」のは一体なぜなのか？

イギリスでは未発見の変異株が発見され、南アフリカでも別の変異株が、南米ブラジルでも、それらと違う変異株が確認される中、初期型COVID19用のワクチンで大丈夫かという疑問が起きている。

ウイルスの遺伝子は人の二重螺旋の遺伝子「DNA」とは違い、一筋だけの遺伝情報しか持たない「RNA」で、特に「COVID19」はインフルエンザ・ウイルスの15倍の長さがあるとされるため、突然変異する確率は単純計算でインフルエンザ・ウイルスの15倍あり、次々と変異株が出てくるのも当然となる。

そんな中、変異型コロナに初期型ワクチンが利くのかの問いに対し、医薬メーカーはワクチンの遺伝情報をすぐに書き換えるので全く問題はないという。

だから自民党の総理大臣ガースーは「緊急事態宣言」を乗り切った2月には全国民用に(安全な)ワクチンが待っていると発言するのだろう。

「ファイザー」にせよ「ビオンテック」にせよ、世界中で開発されるワクチンの正体は、遺伝子組み換え技術で創られる「人工ワクチン」である‼

日本人は遺伝子組み換えの「大豆」を嫌うが、直接体内に注入する遺伝子組み換えワクチンなら受け入れるのか？

さらに言えば、通常のワクチン開発は安全性を最重点に4～5年の歳月がかかるが、今回のワクチンは〝緊急性〟を優先して半年少しで完成して人体に入れる。

これを開発最優先の安全無視の「ワープ・スピード・ワクチン」といい、従来のウイルス毒を薄めた「不活性ワクチン」でも「生ワクチン」でもない、遺伝子組み換えウイルス「COVID19」と同じ技術で創る人工ワクチンなので短時間で開発できたのである。

だからウイルスの変異にも十分に対応でき、変異部と同じ塩基を組み替えるだけで済むとなる。

分かりやすく言えば、多少意味は違うだろうが、玩具の「レ〇ブロック」のプラスチック製ワクチンを体内に入れるようなもので、そんな物を体内に入れたら最後、次に人工の「モンスター・ウイルス」が開発され、幾度も打つ必要がある人工ワクチンで人の免疫系が破壊されたとしたら、体内で何が起きるのか全く予想がつかない。

逆に言えば、安全性をほとんど顧みずに開発された危険度の高い人工ワクチンのため、「専門家ほど今は打たない!!」のである。

そんな中、イスラエルのユリ・ゲラーがスプーンを曲げながらワクチン接種する様子が

TVで流された……が、CIAのエージェントのユリが打つのはおそらく無害な「栄養剤」と思われる。

専門家ほど今は打たない「新型コロナワクチン」‼②

イギリスのワクチン接種の加速化が目立つ中、EUも同様の状況と思われがちだが、EUのワクチン専門家の多くはイギリスの状況はあまりに拙速で医薬品の規制当局も懸念を示している。

日本では「ワクチン」と「治療薬」の区別もつかない人が多く、そもそもワクチンの目的は病原体への「抗体」を作ることで、二度と同じ病原体に感染しないことにある。

ところが、今回の「新型コロナウイルス／COVID19」のワクチンは、従来の弱毒化したウイルスやウイルスの一部をリスクの少ないかたちで身体に取り込み、ウイルス感染と同じ状況をつくることから〝免疫応答〟を起こし、「B細胞（免疫細胞の一種）」に「抗体」を産生させる方法をいう。

そのため、今回のパンデミックに対応するワクチンを打って抗体を持てば予防できると誰もが思っているが、他の「ウイルス性疾患」と全く異なる不可解な現象が次々と確認され始めている。

本来ワクチンの接種で抗体が増えれば、その分だけ新型コロナを撃退できるはずが、ワクチンを打ったにもかかわらず重症化した患者を調べると、抗体が少ないどころか逆に抗体量が増加していたのだ。

鳴り物入りで登場したはずの新型コロナワクチンによる「抗体」は、対コロナにほとんど寄与していないどころか、摂取した結果、重症化し始めるケースが現れ始めている!!

つまり今回の遺伝子組み換えワクチンは、玩具の「レ◯」と同じで簡単に組み立てられる反面、いざ体内に摂取すると「抗体」をつくっても感染予防に寄与しない結果が出てきたのだ!!

前述したように元々、新型コロナウイルスはアメリカのビル・ゲイツの製薬会社「ビル＆メリンダ・ゲイツ財団」が開発した人工ウイルスで、日本の「アメリカ大使館（極東CIA本部）」が日本籍の人間に命じて武漢でばらまいたものだ。

このウイルスの異常な点は、「インフルエンザ・ウイルス」のRNAの15倍の長さがあり、単純計算でインフルエンザ・ウイルスの15倍の速さで突然変異を繰り返す点である。

結果、新型コロナは次々と〝再感染〟する前代未聞の芸当をやりとげ、いくらワクチンを打っても変異株が無限に現れ、世界中に蔓延する仕掛けになっている。

その裏の原因が、今回明らかになった「抗体」が効かなくなる現象で、その原因を抗体の数が減ることによると考えられたが、実際は抗体の数は激増していたのである。

これが意味するのは、玩具の「レ〇」のような遺伝子組み換えワクチンを、「COVID19」の変異株が現れる度に延々と打ち続ける……これはまるで、ビル・ゲイツの開発したOS「Windows」と同じ構造だ。このOSは実際には欠陥品だったが、これに「Apple」の創業者だったスティーブ・ジョブズが激怒したことにもつながってくる現象である。

その欠陥OSを世界中に蔓延させたビル・ゲイツは、その欠陥性を補う目的で、次々と新たな「Windows版」を販売、その繰り返しで莫大な利益を上げた……そのやり口と全く同じなのである。

インフルエンザと違い「COVID19」は無毒で膨大な人に感染させるだけの人工ウイルスで、世界中に「Windows」を蔓延させ、次々と新型人工ワクチンを創らせることが目的の一つだったと思われる。

そのための恐怖心を煽るのが「PCR検査」で、ただの風邪や健康者でも80％以上が感染と反応する似非検査法である。バナナの遺伝子の欠片でも人との共通部分だけで人間の肉片の一部と判断する「ＰＣＲ検査」を、ある連中に悪用されてしまったのである。

日本を含む世界中のマスコミが誘導する〝ワクチン開発ニュース〟の肝が、「新型コロナの感染予防効果は90％以上!!」なのだが、ほとんど意味がないどころか表現方法に大きなトリックがある。それが新型コロナを発症した患者のパーセントで、一般的感染者のパーセントではない。

前述したようにビル・ゲイツのバックにいるのが「ロックフェラー」で、そのさらに背後にいるのが「ロスチャイルド」である!!

この連中が本物の「イルミナティ」で、世界人口を5億に減らすには、無症状で感染力がある遺伝子組み換えウイルスをまず蔓延させ、その後、数々の遺伝子操作ワクチンを登場させ、変異の度に「怖い怖い」で打ち続けさせるのである。

その結果、遺伝子組み換えの「人工ウイルス＋人工ワクチン」の塊になった人間に究極の遺伝子組み換え「モンスタープラン（計画）」を実行に移せば、免疫系を支配された人の体内で一体何が起きるのか？

これは人の遺伝子組み換え遊びの範囲で、何でもできる恐怖の時代に突入したということである!!

専門家ほど今は打たない「新型コロナワクチン」‼ ③

２０２１年１月12日８時35分、「ビル＆メリンダ・ゲイツ財団（Mr. William（Bill）Henry Gates III, Co-Chair of the Bill & Melinda Gates Foundation）」の共同代表で、「マイクロソフト」の創業者ビル・ゲイツと、日本の菅義偉内閣総理大臣が二人で電話会談した。

会議は約15分で、ビル・ゲイツは「新型コロナ感染症」に対する日本政府のリーダーシップと、「ＧＡＶＩ」等への国際的枠組みへの貢献と国際保健分野での日本の協力に感謝を表明したという。

「GAVI Alliance（Global Alliance for Vaccines and Immunizations～）」とは、世界中の子供への予防接種の拡大を目標に、全ての子供の命を救い健康を守るミッションをいう。

それ以外にもゲイツは、「東京オリンピック・パラリンピック」と「東京栄養サミット」に対する期待を述べたという。

ゲイツが期待する「東京栄養サミット2021」は、「FAO／国連食糧農業機関」の一環のサミットで、2020年12月に予定されていたが、「新型コロナ・ウイルス（COVID19）」の影響で1年延期されている。

それらゲイツの期待に対する菅総理大臣の答えは、「ゲイツ財団」の国際保健分野への貢献に敬意を表し、ゲイツが今回確認したかった日本の〝誰の健康も取り残さない姿勢〟を再確認し協力姿勢を強く伝えたという。

日本政府の姿勢は人の安全保障の理念の下に「UHC（Universal health care）」の達成を国際社会に公約することにあり、それを確認したゲイツは喜びを隠さなかったとされる。「UHC」とは、地球上の全人類が経済的困難を伴わずに〝保健医療サービス〟を受けられる組織で、ゲイツはそれにもかかわるため、日本の貢献に多大の期待を寄せているのだ。

まるでアメリカ政府の外交代表のような姿勢だが、ゲイツは政治家ではなく、そんな人物が日本の総理大臣に国際公約を確認できるのも奇妙だが、「東京オリンピック」にしてもゲイツは「東京大会開催は世界に対して大きなメッセージになる!!」と強く表明し、菅首相も「必ずやりきる!!」と応じたとされる。

これら一連の会談でゲイツが確認したかったのは、日本政府の発展途上国への「ワクチン供給」における協力であり、日本政府に対し世界中に遺伝子組み換えの「ワクチン」が行き届くこととの共通意識である。

ゲイツがなぜこれほどまでに〝営業〟に精を出すかと言うと、「ビル&メリンダ・ゲイツ財団」が「COVID19」に対するワクチン開発の元だからで、現地で無料にしてでも世界中の国々（アフリカ・南米・アジア）に人工ワクチンを拡大させ、年端もいかない子供全員にワクチン接種させることにある。

ゲイツはそうまでして何をしたいのかは歴然で、今回の「新型コロナ・ウイルス（COVID19）」を人工的に創ったのが「ビル&メリンダ・ゲイツ財団」の製薬会社であることが分かっている。

今の各国の遺伝子組み換えワクチンもビル・ゲイツ製の設計図を基に造られた遺伝子組み換えワクチンで、その全てがゲイツの生み出した遺伝子組み換えウイルスの〝孫〟みたいなもので、これによりゲイツが世界中の人類を生かすも殺すも自由にできる。

一度でもゲイツ由来の人工ワクチンを体内に摂取したら最後、次々と変異を繰り返す「新型コロナ・ウイルス（COVID19）」に対応する「人工ワクチン」も次々と接種せざるを得なくなり、「ビル&メリンダ・ゲイツ財団」が近い将来蔓延させる計画の「モンスタープラン」と組み合わせたら最後、恐ろしい結果を招くことになる。

つまりゲイツの狙いは人間をネットウイルスに感染させた〝端末〟に見立て、これから永久にゲイツ財団の支配下に置くことにある。

それには日本に協力させる必要があり、国際保健分野にも関わる日本の協力姿勢に期待すると表明したのだ。

そもそもゲイツのOS「Windows」の大成功は、日本のOS開発「TRONプロジェクト」を脅威に感じたアメリカ政府の圧力で当時の「通産省」が協力を拒否した結果であり、もし坂村健東京大学名誉教授が開発したリアルタイムOS仕様の「コンピュータ・アーキテクチャ構築プロジェクト」を通産省が承認していたら、その完成度の高さから今の「Windows」もビル・ゲイツも存在していなかった。

飛鳥昭雄が昔から口を酸っぱくして言うのは、日本人の技術者は世界最高水準でも、政治家は最低なので、世界が日本に支配されずに済んでいるということになる!!

専門家ほど今は打たない「新型コロナワクチン」!!④

日本の「2030年問題」は、人口減少が止まらず今のまま超高齢化社会に陥った場合の「社会保障問題」「日本経済鈍化」の状況を表す総称で、超高齢化による人材不足から起きる「経済クラッシュ」の結節点を指している。

全人口の3分の1が65歳以上の高齢者社会では、稼ぎ手の労働者が圧倒的に不足する一方、社会保障費だけが肥大化して、壊滅日本になる意味だ。

一方、世界規模の「2030年問題」は、一刻も早く「脱炭素社会」に移行しなければ、排出ガスによって暴走する「地球温暖化」により地球が許容できる「臨界点」を超え、二度と元に戻らない地獄の世界になることをいう。

この予測はベルリン郊外の「ポツダム気候影響研究所」のヨハン・ロックストローム教授が唱えた「ホットハウスアース理論」による科学的見解で、これからの10年で人類の未来が決定するという。

今のまま何もしなければ、2030年に「産業革命」以前の地球の平均気温の+1・5度上昇が決定し、地球環境はバランスを崩して〝灼熱地球〟へと向かい、その暴走を止めることができなくなるという。

「地球温暖化」は2006年にアル・ゴアが主役でデイビス・グッゲンハイム監督が作った『不都合な真実（An Inconvenient Truth）』でも取り上げられたが、世界中の発展途上国の猛反発とアメリカの政治判断から「炭酸ガス排出規制」は成功していない。

ところがである、そもそも火星の氷冠が年々縮小しているように、温暖化の主犯は「太陽」であり、「二酸化炭素」はむしろ急激な温暖化の緩衝材になっている。

一方、スウェーデンの環境活動家で発達障害「ASD（自閉スペクトラム症・アスペルガー症候群）」の少女グレタ・トゥーンベリが主張する「科学は嘘を言わない」発言で「炭酸ガス規制」を訴えると、EUを中心とする「エコ・ビジネス」が活性化する。

今回、この「エコ・ビジネス」にも深くかかわるビル・ゲイツは、もはや世界を救うには「人口削減しかない!!」と判断し、毒性は子供が死なないほど少ないが拡散力だけあるウイルスを遺伝子組み換えで世界中に蔓延させ、嘘の結果を出す「PCR検査」で恐怖を煽りながら、遺伝子組み換えの「ワクチン」を大量に摂取させ、体内に取り込ませれば、後は人工免疫システムを利用して凄まじく致死性の高い「モンスタープラン」を実行すれば世界人口を5億人まで激減させ、特権階級と一部の人類だけの地球環境を残せるという算段である。

そのビル・ゲイツのバックにいるのがアメリカの製薬会社を一手に牛耳る「ロックフェラー財団」で、そのロックフェラーをアメリカの独立直後に送り込んだのがイギリスの「ロスチャイルド」という構図があり、これらが本物の「イルミナティ」であり、日本でよく言われる「フリーメイソン」などではない。

世界を金融で牛耳る「ロスチャイルド」は自分たち特権階級が生き残るには、今の地球の人口77億では無理で、そのほとんどを抹殺すれば地球環境を守れると信じている。

彼ら「イルミナティ」が信じるのは、光の子の異名を持つルシフェル「バアル神」で、創造に失敗したヤハウェ（英語：エホバ）に代わって再び天地創造を行うまで生き残ることを前提とする。

そのため、世界中のカレンダーを、昔の日本のような「月火水木金土日」ではない「日月火水木金土」に変えさせ、日曜日の「福千年」を最後に来させず、スタートのエデンの園（日曜日）からルシフェルにやり直させる気でいる。

さらに、チャールズ・ダーウィンが唱える「進化論」を盾に、大自然は弱者を強者に抹殺される運命に選んだとする「弱肉強食論」と、大自然は弱者の淘汰を赦す「自然淘汰論」を大々的に掲げる。

その意味で無神論のチャールズ・ダーウィンを教祖とする「ダーウィン教」は「イルミナティ」にとって都合よく、神であるヤハウェは無神論で排除し、バアル神だけを神として祀るようになる。

実は大自然は弱者を生き残らせるために多産にしてあり、「自然淘汰」も自然界ではあり得ず、そう見えているのは人類の罪で発生した「ノアの大洪水」による世界の壊滅で、凄まじい大豪雨の中で泥水が押し寄せた際、動きの鈍い爬虫類が先に呑み込まれ、次にやや動ける小動物が高い場所への途中で呑み込まれ、最後に動きが敏速な哺乳類や鳥類が呑み込まれたため、超高圧化の泥の底で100年足らずで化石になった……その状態から、下から上への意味のない「進化論」の補強が登場することになったのである。

同時にこれがアスペルガー症候群のグレタが主張する「科学は嘘を言わない」の正体でもある。

かくして「イルミナティ」はルシフェル（バアル神）がヤハウェ（イエス・キリスト）を倒すまで生き残る必要があり、チャールズ・ダーウィンを預言者とする「進化論」を振りかざしながら、超富裕層が人類という高位生態系の頂点に君臨するため、ビル・ゲイツに65億人の無駄な人間の自然淘汰という「ホロコースト」を命じたのである!!

Part 10

DNAワクチンの遺伝子配列の中に時限爆弾が仕掛けてある!?

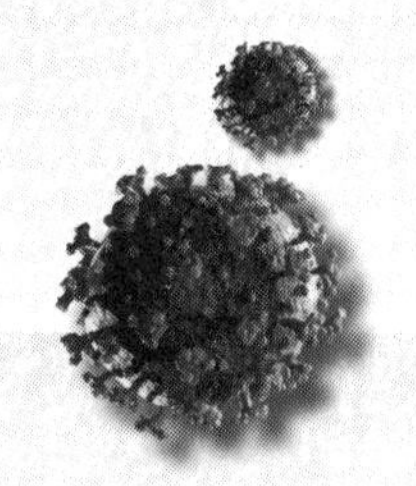

専門家ほど今は打たない「新型コロナワクチン」‼ ⑤

毎日、いい加減にしろと言いたくなるほど、TVと新聞で80％以上間違った結果を出す「PCR検査」の数値が流され、政府お抱え医師がその数字に箔を付けて危機感を煽っている。

ただの風邪やインフルエンザでも「PCR検査」で陽性が出るし、全く健康な人も偽陽性や陽性が出る「PCR検査」で、たとえ陽性反応が出ても無症状で、子供に無毒なウイルスであるため、日本中が日常生活をするだけで「COVID19」は自然消滅する。

今の日本政府のやり方は完全に間違いで、「PCR検査」で反応が出る度に入院させ、ホテルで隔離をするから担当する看護師が不足し大病院でも医療崩壊するのだ。

元々コロナに対応できる日本人は、若者や子供は放っておいても大丈夫で、さらに「集団感染」すると「集団免疫」が強化され「緊急事態宣言」など出す必要は全くなくなる。

「COVID19」の感染で注意すべきは「基礎疾患」のある高齢者だけで、60歳以上で微熱が1カ月続く老人だけを注意し、体調が回復しない老人を入院させれば「医療崩壊」は起きない。

今のような「PCR検査」で発狂状態の日本で最も被害を受けるのは、通院中の様々な患者で、特に「がん患者」「リハビリ患者」には大迷惑な事態である。

若者が感染して家で親に感染させないのは現実的には不可能で、咳が止まらず心配な老人だけ肺の「X線検査」で重症か否かを調べればいいだけのことだ。

今は「PCR検査」ではない別の方法も登場する中、何でも陽性にしかねない「PCR検査」は即中止すべきで、検査場で陰性結果が出ても検査の帰りに感染すれば意味がない。

そもそもコロナ以前の老人の死亡原因の多くは、「風邪」「インフルエンザ」「誤飲」による「肺炎死」で、多くの日本人は「COVID19」が蔓延してから老人の肺炎死が起きたと思い込んでいる。

最悪は日本政府で、「緊急事態宣言」を発令しても、自民党の有力国会議員や党幹部は堂々と料亭で「三密」どころか「集団会食」をやらかす事態がそれを物語る。こんな国に従う必要はないと思われても仕方がないだろう。

子供や若者は感染しても無症状で重症化せず、それでも怖がるのは、中国武漢で「COVID19」の感染を初めて公開した眼科医の李文亮が34歳で肺炎死したからだ。

ところが、実態はというと、中国共産党が世界のマスコミから隠蔽したことに対して非難を受けたくないため、下手な証言をされる前に消したというのが真相だ!!

ビル・ゲイツの役目は、毒性の少ないわりに感染力のある「COVID19」を世界中に蔓延させ、「PCR検査」で世界経済を停止させ「世界恐慌」を演出、経済崩壊で世界的飢餓に陥らせれば、死の商人の代表「ロスチャイルド」が望む通りの限定核戦争の「第三次世界大戦」を起こすことができる!!

それには「世界の保安官（警察官)」のアメリカを分断せねばならず、ジョー・バイデンの背後に「ロックフェラー」が連れてきたバラク・オバマがいて、ドナルド・トランプに「ロックフェラー」の番頭ヘンリー・キッシンジャーがいて両方で煽っている。

本人同士は知らなくても、各々の背後に「ロックフェラー」がいて、そのさらなる背後に「ロスチャイルド」がいる構図は一般には中々見えてこない。

アメリカがこのまま進めば、飛鳥昭雄が指摘してきたように、州同士が敵対して州兵が州境で撃ち合い、全米の街角で共和党と民主党の過激派同士の銃撃戦が起きる事態が目前に迫っている。

ビル・ゲイツによって遺伝子組み換え技術で創られた「COVID19」の役目は、世界に不幸の連鎖反応を起こす〝撒き餌〟をまくことで、それが分かった時は全てが手遅れとなっている!!

専門家ほど今は打たない「新型コロナワクチン」!! ⑥

日本ではマスコミ誘導で発狂的に推し進められる「コロナパニック」だが、それを収束させる唯一の切り札が、半年ほどで完成させた〝遺伝子組み換えワクチン〟とされる。

特にアメリカの「ファイザー社」のワクチンは2度の接種が必要で、常識のある免疫専門家やワクチン開発の専門家ほど、今回の遺伝子組み換えワクチンについて重大な疑念と懸念を示している。

今までの常識では、弱毒化したり死滅させたワクチンを接種することで、ウイルス性「おたふく風邪」「麻疹(はしか)」に対する抗体が自然にでき、そのためのワクチンは一度体内に接種するとほとんど一生にわたってB細胞に影響を与え続ける。

ところが〝緊急事態〟の中、製薬会社の責任を免責する〝免罪符ワクチン〟が登場し、人の設計した〝遺伝子組み換えワクチン〟を体内に打ち込むことで、人工加工したB細胞が一生体内に残ることになる。

２０２０年8月、香港の30代男性が新型コロナに〝再感染〟した後も再感染した報告をきっかけに世界各地でも同様の事態が起きたことから、今回の遺伝子組み換えワクチンの効力も短期間かもしれないとされ、さらなる接種を呼びかけるための理由にされ始めた。

しかし、実際は効力の問題ではなく、「ＣＯＶＩＤ19」がインフルエンザ・ウイルスの最大15倍の速度で起こす「突然変異」が原因である。イギリス、南アフリカ、ブラジルで変異株が次々と確認されて以降、「変異型コロナウイルスに今のワクチンも効かないかもしれない」との情報が飛び交い、世界各国がさらにパニック化していく。

そこで考えられたのが、突然変異した「ＣＯＶＩＤ19」に対し、人工ワクチンもその度に遺伝子組み換えすればいいとする考えで、設計を更新した新しい遺伝子組み換えワクチンを打ち続ける事態が想定され始める。

となると、将来的に次々打ち込まれた遺伝子組み換えワクチンが人の免疫システムに悪影響を及ぼし、最悪、免疫機能停止など様々な弊害を起こす事態もあり得ることになる

……

もしインフルエンザ・ウイルスの15倍の長さのＲＮＡを雛型とするワクチンの中に〝人の免疫機能をコントロールする仕掛け〟が組み込まれていた場合、数回〜十数回にわたっ

て接種すると、自動的に人の免疫システムを乗っ取ることが可能になるかもしれない。

このような事態は理論上不可能ではない。それが変異ごと一種類ずつの人工ワクチンでどう合体するのかの仕掛けまでは分からない。

今回の人工ワクチンについて知っておかねばならないのは、遺伝子組み換えする部位が「ｍＲＮＡ」というウイルスの一部の分子設計図を人為的に組み換えることである。

この未知数の「ｍＲＮＡ」をワクチンとして接種すると、細胞内でウイルス分子に変換が起き、免疫反応が起きて「抗体」が産生されるが、遺伝子配列の中にどんな人為的な時限爆弾が仕掛けられているか一部だけだと全く分からない。

そんな中で、日本で感染後6カ月の感染者の98％に「ＣＯＶＩＤ19」に対する抗体保有が確認されたというが、前述したように「京都大学」のｉＰＳ細胞の発見者でノーベル賞学者の山中伸弥教授は「日本人は既に免疫を持っていた!!」と分析、この「ファクターＸ」で日本人の感染死者数が欧米と比べて圧倒的に少ないとする。

「京都大学大学院」の上久保靖彦特定教授も「日本人の多くは既に新型コロナの免疫を獲得している!!」と断言、自民党政府お抱え医師と違う見解を示している。

この京大勢力の意見と対抗するため、政府のお抱え医師のグループは、抗体が急速に減る場合や数カ月以上大量の抗体を持ち続けられるのは、感染者各々の特質とする逃げ道を用意している。

ビル・ゲイツの財団によって製造され、日本の「アメリカ大使館（極東CIA本部）」経由で中国の武漢でばらまかれた「COVID19」だが、これから〝遺伝子組み換えワクチン〟を「インフルエンザ予防接種」のように、子供を含め毎年定期的に何度も接種する必要性も一部で論議され始めた。

自民党が「京都大学」の主張をほとんど黙殺同然に扱うのは、自民党の〝票田〟が老人層であり、老人を守ることが自民党の圧倒的議席数につながるからで、新型コロナで被害を受けない若者層は我慢するのを当然としている。

だからこそ、「緊急事態宣言」を発布しても自民党は平気で「会食」するのである。

小池都知事を含めて「コロナ禍」を最大限に政治利用することで体制維持を図れ、さらなる権限力も高めていく、まことに都合の良いパンデミックなのである。

案の定、自民党は若者に批判的な老人層の意見を採用、自分たちを棚上げしながら、最大議席数で「時短要請」に逆らう飲食店に最初は〝50万円〟の罰金を取る法改正に着手していた。

専門家ほど今は打たない「新型コロナワクチン」‼ ⑦

英米を中心にイスラエルでも本格的にワクチン接種が始まったが、これらは全て自然界にはないヒトの創った〝遺伝子組み換えワクチン〟で、特に「ファイザー社」のワクチンは摂氏マイナス70度で運ばねばならないほど通常ではあり得ない人工ワクチンである‼

本来のワクチンは、弱体化させたり死滅させた病原体の一部を使い、生ワクチンを含めヒトの免疫系を活性化させる「アジュバント」を混ぜ込むのが通例である。

その「アジュバント」が今回の人工ワクチンにないのは、人工的に抗体を誘導する仕掛けを遺伝子的に組み込んであるからで、それを「mRNAワクチン」という。

「DNA」のように二重螺旋構造ではない「mRNAワクチン」は、人の細胞内で「TLR7」という分子と結合し、人為的に免疫性を活性化させてワクチン効果を高めるという。

この「TLR7」の分子機能が小さいと新型コロナの重症化リスクが高くなるため、人為的に「TLR7」を刺激することで重症化と関わる「サイトカインストーム」を抑制する「レギュラトリーT細胞」を増やすという仕掛けである。

ところが、この人工的な仕掛けには〝落とし穴〟があり、「mRNAワクチン」による新型コロナの発症抑制効果は一時的に過ぎず、即効性のカンフル剤のように長期間にわたる効果継続性が期待できないのだ。

そこで「mRNA」の免疫活性を持続させるには、ワクチン効果を増強する必要があり、さらに強力な「mRNAワクチン」を継続的に体内接種させるわけだが、その事前説明が一般人にはほとんどされないのが現実である。

だから「遺伝子組み換えワクチン」の継続接種が近い将来どんな副反応（副作用）を起こすかが全く未知数なので、〝専門家ほど今は打たない〟のである!!

ある意味、世界中で一般人を使った〝人体実験〟を行うわけで、動物実験では「TLR7」を刺激して免疫反応を活性化させる段階で恐ろしいことが起きている。

実験動物の「自己免疫疾患」を誘導すると判明したのだ!!

このことから「遺伝子組み換えワクチン」をウイルス変異の度に摂取すると、ヒトの自己免疫機能が消滅することが予測されるのである!!

これは人工的に創る化学物質の「覚せい剤」と同じで、最初の接種では少しの量で覚醒効果が出ても、打ち続けるに従い効果が薄くなり、やがて大量摂取せざるを得なくなる

〝悪魔の連鎖〟が起きるのだ。

それと全く同じことが、ヒトの考えで抗生物質を使い過ぎると、やがて「耐性菌」が出てヒトを死に至らせるのと同じである。

2020年12月20日の段階では、既に「遺伝子組み換えワクチン」を接種した医療関係者の中で、イギリスでは2名、アメリカでは6名に極めて強い拒否症状が出たと報告され、最大の問題はその原因が分からないことで、おそらく「mRNA」の免疫機能がコントロールできずに暴走したと考えられる。

このことから専門家の間で密かに囁かれるのが、「アナフィラキシー」の頻度が通常ワクチンの10倍以上も高いことから、遺伝子組み換えにヒトの免疫系を過剰反応させる何らかの原因があり、人為的にその仕掛けが組み込まれているのではないかという疑念だ。

何度も言うが、日本を含む世界中で〝嘘の結果〟を出すと警告した発見者でノーベル賞学者キャリー・マリスの言葉を無視し、オオカミ少年と化した「PCR検査」が医療最前線に持ち込まれている。次々と似非感染者を出して隔離させ、その対応に医師と看護師がてんてこ舞いになり、過労に次ぐ過労で正常な状態にない段階で、全てを解決できる〝夢のワクチン〟を優先的に接種できるとなると、それにすがりたくなる気持ちも出てくる。

ビル・ゲイツはそれも計算の上、遺伝子組み換えワクチンを医師と看護師に優先的に打たせ、最終的に医療関係者の免疫系を破壊し、人口削減時に医師が真っ先にいなくなるよう仕掛けている。

それどころか防衛を担う各国の兵士や軍事関係者に優先的に打たせ、「イルミナティ」が世界制覇に乗り出す際、「ロスチャイルド一族」と「ロックフェラー一族」に銃を向ける人間を一掃するよう「モンスタープラン」を実行に移すのである……

もちろん、「モンスタープラン」とは、人為的に免疫系を操作された人間にだけ強烈な死へのダメージを与える人喰いバクテリアの「劇症型溶血性レンサ球菌」が使われることなのである。

専門家ほど今は打たない「新型コロナワクチン」‼⑧

ところで山中伸弥教授が示唆した「新型コロナウイルスに対する日本人の免疫性のファクターX」とは一体何なのか？

医療関係者が推測するのは、「BCG」と「交差免疫」である。

「ＢＣＧ」は子供の結核予防を目的に接種するワクチンで、日本では１９４９年から接種が義務化され、牛に感染する「牛型結核菌」の毒性を弱めたワクチンを判子型注射で接種するため、受けた者には今も二の腕にブツブツ痕が残っている。

昔、ＢＣＧは「乳幼児↓小学生↓中学生」の３度接種したが、今は乳児期に１度接種するだけで、世界も同じと思われるだろうが、アメリカやイタリアでＢＣＧ接種は義務付けられていない。

ＥＵではスペインなどほとんどの国が１９７０年代からＢＣＧを中止したため、ＢＣＧを義務付けたポルトガルは「ＣＯＶＩＤ19」被害が周辺より小さく、日本を含む東南アジアでもＢＣＧを義務化していた結果、日本と同じように感染しても重症化率が極端に小さい。

「昭和大学」の大森亨准教授は、１１８カ国のＢＣＧ接種と「ＣＯＶＩＤ19」の関連性を調べた結果、ＢＣＧをしない国の感染者数は１・７倍、死亡者数も２・４倍も高いと判明した。

ところが、ＢＣＧが「ＣＯＶＩＤ19」を制御できるメカニズムが分からず、可能性として乳幼児期にＢＣＧを受けた若者の免疫機能が「ＣＯＶＩＤ19」に対しても強い免疫性を持つと推測されている。

しかし、老人層は加齢に伴いＢＣＧの免疫力も低下するため、糖尿病など基礎疾患により「ＣＯＶＩＤ19」に抵抗できなくなるとされる。

もう一つの「ファクターＸ」が「交差免疫」で、アジアでは過去何度も似たコロナウイルスが蔓延し、この近縁ウイルスで得た「免疫（獲得免疫）」が「ＣＯＶＩＤ19」にも機能したとする推測である。

実際、日本ではここ数年4種類のコロナ型「鼻風邪ウイルス」が蔓延し、微熱が1カ月も続く症状を伴うため「最近の風邪は治りが悪い」「高熱が出ないので会社も休めない」「目が真っ赤に充血して痛い」「喉が無茶苦茶痛くて唾も通らない」と嘆いた人が多かった。

この近似コロナウイルスを記憶した「メモリーＢ細胞」と「メモリーＴ細胞」が、今回の「ＣＯＶＩＤ19」に対する免疫機能を持つに至らせた可能性があるのだ。

これが意味する結果は大きく、「オオカミ少年シンドローム（症候群）」しか起こさない「ＰＣＲ検査」を廃止し、一刻も早く「Ｔ細胞検査」に移行することだ。

「Ｔ細胞検査」は「ＣＯＶＩＤ19」に対する感染ではなく、肺炎になる〝重症化リスク〟を検査で分かることで、その検査の方が今回のコロナパニックの本質だろう。

にもかかわらず、似非データを出す「ＰＣＲ検査」をマスコミと誘導し、「遺伝子組み換えワクチン」に走らせる日本政府は、問題の本質を全く分かっていない。

最悪なのは「閣議後記者会見」（2021年1月19日）で、平井卓也デジタル改革担当相が「遺伝子組み換えワクチン」を接種したか否か、国民総背番号の「マイナンバー」に記録して政府が知ることができる可能性を示唆したことだ。

専門家ほど今は打たない「新型コロナワクチン」‼ ⑨

ビル・ゲイツの製薬会社「ビル&メリンダ・ゲイツ財団」は、全米から世界の製薬医療界に影響を与える「ロックフェラー財団」の命令で、子供には無毒で拡散性だけの遺伝子組み換えワクチン「COVID19」を開発、日本の「アメリカ大使館（極東CIA本部）」経由で武漢から世界へ蔓延させた。

それを可能にしたのは、中国の14億の人口と「中国共産党」の極めて高い閉塞性で、案の定、中国はビル・ゲイツの期待を裏切らない〝隠蔽〟に走り、中国に支配された「WHO／世界保健機関」のテドロス・アダノム・ゲブレイェソス局長も中国の隠蔽に全面協力した。

結果、2020年の「春節」で中国人の大移動が始まり、世界各国へ中国人が拡散、加齢による基礎疾患を持つ大勢の老人がイタリアをはじめヨーロッパ各国で肺炎死していった。

日本など東アジアの人々はコロナ風邪の度に〝集団免疫〟が確立されていたが、欧米の白人の細胞にある「レセプター／receptor（受容体）」が「COVID19」の突起と同型だったため、容易に結合して白人の細胞に「COVID19」が侵入した。

これだけでも遺伝子組み換えワクチン開発に使われた「COVID19」に、欧米の白人の細胞が使われたことが分かり、少なくとも「新型コロナ・ウイルス」の出所が欧米と判明する。

それが日本を経由したので犯人はアメリカと分かり、「極東CIA本部」が中国のすぐ側の東京にあると同時に、最悪の場合、パンデミックの責任は感染してもほとんどが死なない日本人が「宿主」となり全ての責任を日本に押し付けるためだ。

世界最大の製薬シンジケートを握る「ロックフェラー財団」が、ビル・ゲイツに遺伝子組み換えで免疫機能を破壊する「mRNAワクチン」を打たせるため、「ビル＆メリンダ・ゲイツ財団」に伏線となる「パンデミック・ウイルス」を開発させたのだ。

「ロスチャイルド一族」と「ロックフェラー一族」で世界の富のほとんどを支配する以上、

「イルミナティ」が世界を制覇した際は「世界統一政府／One World Government」樹立のため、その首都を「世界三大宗教（ユダヤ教・キリスト教・イスラム教）」の聖地のエルサレムに置くと決めている。

「イルミナティ」は現在も幼児を誘拐して「バアル神」に捧げるために殺して生贄にしており、ビル・ゲイツも最終的に世界中の子供に「mRNAワクチン」の接種を義務付けさせ、免疫系を破壊して世界最大の生贄にする気でいる。

「ロスチャイルド一族」は世界77億の人口を奴隷となる5億に減らす計画で、それに必要なのがエルサレムに建設される「第三神殿」である。

イスラエルやユダヤ人のためではない……彼らが選ぶ「世界統一政府大統領」は古代エジプトのラムセス2世の末裔〝バラク・オバマ〟であり、オバマは自らを真の神「バアル」から送られた「メシア（救世主）」と世界中に宣言する。

それと同時に、ローマ・カトリック教会の教皇フランシスコが「バアル（ルシフェル）」こそが真の神と宣言、それまでの似非宗教「世界三大宗教」をはじめ「仏教」「ヒンズー教」「ゾロアスター教」等の宗教の一斉廃棄を宣告するシナリオだ。

それに対し真っ先に怒りを発するのが「第三神殿」を建てた上に裏切られたイスラエル人で、一斉にイスラエル軍が出動するが、それと呼応するように世界中の軍隊「ロシア軍：ロシア正教」「イラン軍：イスラム教」「アメリカ軍：キリスト教」「インド軍：ヒンズー教」等々もイルミナティ打倒に全軍をイスラエルに向かわせる!!

そのとき、ビル・ゲイツが「Windows」に仕掛けた「バック・ドア」と同じ仕掛けが炸裂する……。

既に世界各国の軍人をはじめ、世界中の人間に「mRNAワクチン」を大量に打たせ、「COVID19」の変異の度に摂取させてある。ここで最後にヒトの免疫系を破壊する「モンスター／Monster」を使えば全ての軍隊を地上から一掃できる!!

この異常な「劇症型溶血性レンサ球菌」にヒトが感染すると、すでにダメージがある免疫系が瞬時に破壊し、数分もしない内に体が飴のようにドロドロに溶け、生きたまま骨になる凄まじい最期がやって来る。

「諸国の民がエルサレムに兵を進めてくれば疫病で主はそのすべての者を撃たれる。肉は足で立っているうちに腐り、目は眼窩の中で腐り、舌も口の中で腐る。」（『旧約聖書』「ゼカリア書」第14章12節）

「神（天照大神＝イエス・キリスト＝ヤハウェ）」はこのような極悪組織が生み出す〝猛

毒〟も悪の世界への罰に使う。

イルミナティは「mRNAワクチン」を打たないので免疫系は正常に保たれ「モンスター」に対しても何の変化も起きないが、地球という「巨大円形劇場」の最後の幕に登場する神により、彼らは「藁」のように焼かれてしまうと預言されている。

「また、こうも言った。『ハレルヤ。大淫婦が焼かれる煙は、世々限りなく立ち上る。』」

(『新約聖書』「ヨハネの黙示録」第19章3節)

Part 11

子供にワクチン連打！打たなければ親も子も非国民!!

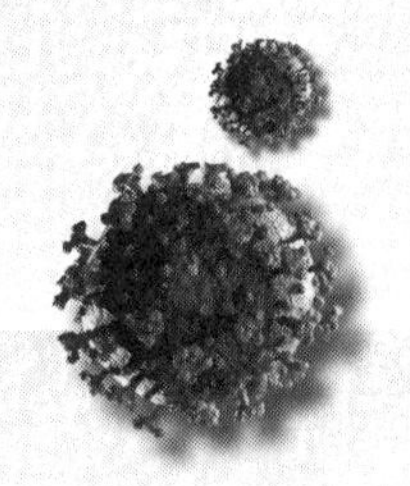

専門家ほど今は打たない「新型コロナワクチン」‼〈特別編〉

「自民党」と「公明党」の国会議員の多くは、戦後のダグラス・マッカーサーと「ＧＨＱ」の占領政策「ＷＧＩＰ（戦争罪悪感プログラム）」から、岸信介以降、日本名にロンダリングした在日朝鮮民族（いわゆる在日）が日本の政界に君臨してきた。さらに朝鮮民族の小泉純一郎の抵抗勢力（日本人政治家）狩りによって、自民党の多くが韓国系議員に占められるようになった。それにプラスして、北朝鮮系の多い公明党が自民党を支える体制で構成されている。

それだけではなく、（旧）社会党系の野党の多くも在日コリアンが多く、共産党も在日で構成され、自民党を割って野党を興した政治家も朝鮮民族が多く、日本の国会は与党も野党も朝鮮民族に頼る有様である。「地方議員」もまた似た状況であり、日本の有権者たちはこれら在日コリアンを選挙で選んでいる。

彼らはもちろんアメリカの命令で働くが、「李氏朝鮮ＪＡＰＡＮ」への意識と自信が強まる中、「日韓併合」以前の「両班（ヤンバン）」を中心とする今の「韓国」を嫌い始めている。そして自分たち在日の優位性を誇示するようになっているのだ。

北朝鮮は北朝天皇系の血統の横田めぐみさんを拉致し、（故）金正日（キムジョンイル）との間に金正恩（キムジョンウン）を生んだが、金正日の本当の父親は「太平洋戦争」で朝鮮半島に派遣された「陸軍中野学校」の諜報員（残置諜者）畑中理（はたなかおさむ）といわれる。

（故）金日成（キムイルソン）が旧ソ連へ逃亡した間、妻の金正淑（キムジョンスク）が畑中理の子の金正日を生んだからだ。

となると今の北朝鮮は「北朝系（天皇家）朝鮮国」で、韓国は「両班コリアン国」、日本は「李氏朝鮮ＪＡＰＡＮ」となる構造で、その中で唯一の別格が日本の「天皇陛下（南朝系）」だけとなる。

その皇室にＣＩＡが外部から送り込んだ子が李氏朝鮮系の秋篠宮文仁親王で、やがて秋篠宮が上皇となり海の王子（小室圭）が天皇陛下となり息子の悠仁親王が皇太子なので、現・上皇が崩御し、天皇陛下をＣＩＡが抹殺すれば、日本は完全に「李氏朝鮮ＪＡＰＡＮ」となり、朝鮮民族の「三位一体」が完成、朝鮮民族による日本人の完全奴隷化が完了、その上にアメリカが君臨する。

日本の朝鮮民族優位体制は、戦後の占領軍ダグラス・マッカーサー率いる「ＧＨＱ」の方針で決定され、特にマッカーサーは「朝鮮戦争」で北朝鮮軍を核兵器で殲滅しようとしたのは、日本帝国の残党が金日成と組んで朝鮮半島の制覇を目指していたからだ。

今では日本人より日本人になった在日コリアンシンジケートは、アメリカ政府の言いなりであるため、科学技術、芸術、教養、道徳観では世界トップレベルの日本人でも、政治が世界最低レベルなのは政界を朝鮮民族が支配しているからだ。

その彼らの上に君臨する「アメリカ大使館（極東ＣＩＡ本部）」は、言いなりのピンチヒッターである日本人のガースー（菅首相）を介して自民党に命令を下している。段階的に子供を含む日本人全員に遺伝子操作した「ｍＲＮＡワクチン」を打てと!!

ガースーはビル・ゲイツとの電話会談から、前倒ししてでも遺伝子組み換えワクチンの接種を開始すると宣言、接種の優先順位を「医療従事者」「高齢者」「高齢者以外の基礎疾患者」とするが、ビル・ゲイツが望むのはもっと違うことだ。「ＣＯＶＩＤ19」の突然変異の英国型が子供に悪影響を与える可能性から、全ての日本人児童への「ｍＲＮＡワクチンの予防接種」の義務化である。これを自公の圧倒的議席数で決める可能性があるのだ。

では若者はどうするかと言うと、「同調圧力」に弱い日本人に向け「マイナンバー」に「ｍＲＮＡワクチン接種」を載せ、接種した者としない者を区別し、自民党政府がそれを管理（本当は監視）しようと企てていた。例えば「海外旅行」で外国の方々に迷惑を掛けない旅行者は「接種完了者」が相応しいと忖度（そんたく）させるだろう。

それだけではない、例えば巨大イベントの主催側と客側の両方に「接種終了証」を発行、「mRNAワクチン」のイメージ戦略に有名歌手やタレントを利用する可能性がある。

教育現場も教師と生徒と父兄に「接種終了証」を発行、入試にも必要とするように導き「指示待ち世代」「長い物に巻かれろ世代」は簡単に従う。

まるで戦時下における現代版「国家総動員法」で、従わない人には国民同意を前提とする何らかのペナルティを与えれば、日本人は仕方なく周囲の流れに呑み込まれていく……

それでも「mRNAワクチン」を打たない場合は「飛行機」「新幹線」に乗るのも躊躇され、その場合は「マスク着用」を義務付けられ、それも普通のマスクではなく頑丈な医療専用マスクでなければ「店」にも入れなくなる……

マスコミ報道でも「非接種者」はエゴイストか陰謀論者のように扱われる。これら凄まじい「同調圧力」の忖度から逃れられる日本人の数は果たしてどれぐらいになるのか？

近い将来、日本人の死者数は人口の3分の2に達するとした岡本天明の『日月神示』の預言は、どうも餓死者数だけではないようだ。

前述したように禰宜（ねぎ）職だった岡本天明の預言「日月神示」を類推すると、日本人は「令和」の浄化で8395万人以上が滅びる、となるのかもしれない！

専門家ほど今は打たない「新型コロナワクチン」!!〈応援編：前〉

欧米各国の自由主義圏における「同調圧力」は「個人主義」で相殺できるが、逆に中国共産党の「官僚主義」下による「強権力」「強制力」相手では非常に難しくなる。

日本はほぼその中間で、今の日本の「同調圧力」は国からではなく、民間からの方が強く、故郷や家族からの圧力が半端ではなく、日常生活だけに対処が意外と大変になる。

そもそも日本で「同調圧力」が強いところは集団生活が余儀なくされる「職場」「学校」で、田舎という閉鎖社会も「村八分」という言葉があるように隣近所の顔色を見なければならない。

一般的に親と同居していない独身者は「村」や「家族」の柵（しがらみ）なく己の主張を守れる隠れ場となる。

一方、既婚者の場合は各々の伴侶でその対応が変わり、「遺伝子組み換えワクチン（mRNAワクチン）」の製薬メーカーの責任を免責する代物を体内に入れる危険性を伴侶が本当に分かっているか否かで決まる。

接種を拒否する伴侶の場合は問題ないが、そうではない伴侶の場合は家庭内ストレスになる。

特に子供がいる夫婦の場合、児童に「mRNAワクチン」を強制的に予防接種するのは法的にも違反で、社会的抵抗もあるため、日本政府が特措法として法律を改正しない限り、民間主導の「同調圧力」で決行することはできない。

ところが、そういう中でガースー（菅総理大臣）が内閣支持率回復の決定打にしたい「mRNAワクチン」の優先順は、「医療関係者」「高齢者」「基礎疾患者」だが、現時点でワクチン接種に法的強制力は伴っていない。

そこで日本政府は一つの戦略として「ソフト戦略」を組み、大勢の人々に影響力を持つ女性やグループ、有名俳優、歌手、ユーチューバー、作家、コメンテーターはもちろんのこと、信用度が高い某有名大学の学者や医学者に「mRNAワクチン」を接種してもらい、そのシーンをネットやTVニュースに流し、ポスターを印刷して駅内に貼る「接種キャンペーン」を展開すると思われる。

その一方、「ハード戦略」として内閣専門チーム（主に内閣調査室）は「SNS」を利用する情報操作で、大勢の専属バイトを使うネット戦略を展開、接種を拒否する人を「エゴイスト」にし、さらに「無知蒙昧」や「陰謀論者」に仕立てた後「非国民」へと誘導する可能性がある。

初期段階で煩わしいのは職場のようなところで、社長が「mRNAワクチン」接種派の場合、社内の「同調圧力」は半端ではなくなり「貴様は社内に感染者を出しても構わないのか!!」の目で見られるため、当然「評価」に影響することにもなりかねない。

特に営業の場合は、「mRNAワクチン」を接種しない社員を寄こす会社とは取引できない風潮が起き、工場勤務の場合、感染防止の努力をしない工員はラインを止めるに等しい人間として勤務を止められる可能性が出てくる。

「保育園」の場合は幼児への予防接種は法的に認められないため、両親が接種したかどうかが問題視される可能性があり、摂取しない親の幼児の預かりを保育園側が拒否する事態も予想される。

実際に保育士が親（老人）と同居していたならなおのこと、ワクチン接種拒否の家庭児童を預かれないとする行動を誰も非難することはできない。同じ理屈が教育現場の「学校」にも及ぶはずだ。

特に中学生以上になると、親が接種しない子は教師を含め周囲から白い目で見られたり、虐めの対象になる可能性も出てくる。

が、そもそも親が「mRNAワクチン」を接種したか否かまで学校が自主的に調査しない限り「プライバシー問題」に引っ掛かるため、いちいち学校側に届ける必要がないものだ。

そんな中でも、国の防衛を担う「自衛隊」のワクチン接種は、国家の運命を左右する立場だけに「命令」になる可能性があり、一つの師団がコロナ感染で身動きできなくなり、艦内で一人でもコロナ感染が見つかった場合、出港できなくなり寄港できても自衛隊員の上陸ができなくなる。

ところが、自衛隊員は職務上肉体を日々鍛え、後期高齢者もいないため、ワクチンを打たなくても戦力的には何の支障もないはずである。

そんな様々な状況で「オオカミ少年症候群」の日本で、「mRNAワクチン」の接種を拒絶する人はどんな解決法を待つのだろうか？

専門家ほど今は打たない「新型コロナワクチン」!!〈応援編：後〉

ＴＶは「放送」つまり〝送りっ放し〟メディアで、戻らない電波の意味で言えば〝放ちっぱなし〟の一方的媒体である。

だから放送局の上層部をどんな人間が支配しているかが重要で、「ＮＨＫ／日本放送協会（Japan Broadcasting Corporation）」ならなおさらである。

ＮＨＫは総務省が所管する日本政府の〝お抱え放送局〟で、全てではないにせよ与党（自民党）の影響を強く反映する。

そこで今回の「コロナ禍」を分析すると、以下の基本概念をワクチン接種拒否の全員が再確認しなければならないことが分かる。

●毎日ＴＶが煽る「ＣＯＶＩＤ19」の猛威の正体は「拡散力」で、「毒性」は子供でも平気なほど低いこと!!

●新型コロナ・ウイルス「ＣＯＶＩＤ19」で重要なのは「重症数（率）」「死者数（死亡率）」で、ＴＶが煽るような「感染者数（率）」は「風邪を引いた人の数」を出すだけで意味がないこと!!

●コロナ禍の最前線の「ＰＣＲ検査」は80％以上間違った結果を出す代物で、無症状感染者数を前面に押し出しながら〝オオカミ少年症候群〟を加速させていること!!

●「ＰＣＲ（ＤＮＡ増幅法）」でノーベル賞を獲得したキャリー・バンクス・マリスは、Ｄ

NA増幅法を検査に使うと必ず間違った結果を出すと警告、検査への使用を禁止し「悪党にPCRを奪われた」と言い残して世を去ったこと!!

●老人の肺炎を知るのは「X線検査」だが、コロナ禍のドタバタで老人がX線検査も受けられない事態にあること!!

●日本では「PCR検査」で無症状の感染者（健康者）を2週間も病院で隔離入院させ、無症状の健康感染者の数が多くなるとホテルへ隔離、その場所へ看護師と医師を派遣し続ける結果、「総合病院」でも看護師が不足し今に続く「医療崩壊」に陥ったこと!!

●過去の「パンデミック（世界的大流行）」は全て「集団免疫」で消滅しており、「ロックダウン（都市封鎖）」や「国境封鎖」はウイルスの影響力を長引かせるだけの逆効果で、「クラスター（感染爆発）」でさえ無毒なウイルスの場合は「集団免疫」の意味から好ましいこと!!

これらから「コロナ禍」を俯瞰（ふかん）で見ると、「COVID19」は病理学的に「無毒＋強い拡散（感染）力」を世界中に〝下地〟として広げているだけで、〝変異株〟が幾ら現れても猛毒化せず拡散力だけが強くなり広範囲に〝下地〟が広がるだけに過ぎないこと!!

子供でも安全な「COVID19」でも亡くなるのは、主に糖尿病などの基礎疾患を持つ「高齢者」や、手術等で抵抗力が減少している患者などである。

世界中が〝コロナパニック〟に陥るのは〝感染者数〟に惑わされているからで、真の恐怖はどんな拒否反応が起きるか全く分からない遺伝子組み換え「mRNAワクチン」を体内に入れることで、不気味なのは開発した製薬会社の責任が全て免除される点である。

世界中に「COVID19」の〝下地〟が敷かれ、その上に乗った〝人体〟にまかれるのが「遺伝子組み換えワクチン」の〝種〟で、そこからどんな怪物が出て来るか全く未知数で、最悪の場合は人工物を体内に摂取した結果、ヒトの〝免疫系〟が影響を受けて組み替えられる危険性があることだ。

貴方の会社の社長が社員の身の安全のために「mRNAワクチン」の接種を企業方針にするような場合、自分にはアレルギーがあると言えば強制はできない。

集団生活の典型とされる「企業」でも、工場以外はコロナ禍で次々と「テレワーク」に移行しているため、よほど古い体質の組織か地域ではない限り「同調圧力」には抜け穴が必ずある。

自分の漕ぐボートが激流に流され、もうすぐナイアガラ瀑布に突っ込み、真っ逆さまに滝つぼ目掛けて落ちるような状況で、急流に逆らってボートを逆に漕いでも全く無駄である。

ところが急流を利用して両岸のどちらかにボートを寄せて陸に押し上がれば、命を失わずに済むかもしれない。

マイナンバーと紐付け⁉　国家は狂気の沙汰‼

自民党は国民全員の「遺伝子組み換えワクチン（mRNA）」の接種を目指しているようだが、国民の方は必ずしもそうではなく、遺伝子を組み替えた異物を体内に入れることを嫌がる人も結構多くいるため、国としては強制しないものの〝忖度(そんたく)〟を含む「同調圧力」をかけるしか手がない。

河野太郎行政改革担当相は、ワクチンの接種情報を国民総背番号制の「マイナンバー」に記載し、国民を集中管理すると発表した……が、プライバシー保護の観点から「個人情報」が日本政府（自民党と創価学会・公明党）に管理されることを防ぐ必要があり、地方自治体と医療機関が接種情報（接種医療機関：接種年月日：住所地：ワクチンの種類：接種回数）をマイナンバーに記録するが、国に個人情報が流れないようになった。

一方の市町村側は、誰がいつどこでワクチンを接種したかを接種1度目から3週間後に受ける2度目への接種を呼びかけたり、引っ越した人に「クーポン券」を再発行するケースに活用するとし、そのための「バーコード」「ＱＲコード」を医療機関がスマートフォンで読み取る「アプリ」の開発もするとした。

自民党の本音はそれだけではないようで、入院を拒否する新型コロナウイルス感染者には、懲役を含む〝刑事罰〟を下す「感染症法改正案」を通常国会に提出した……が、当然だが野党の反対で後退する。

これらの自民党政府の「同調圧力」に対し、遺伝子組み換えワクチンの接種拒否を本当に貫けるのかと言うと、実は「法律」には抜け穴が無数に空いている!!

例えば、懲役を受ける可能性があるコロナ感染者にならないためには「ＰＣＲ検査」を受けなければいいわけで、現時点で「ＰＣＲ検査」は強制ではない。

日本は欧米と違い、既に多くの日本人にはコロナに対する〝免疫系〟が確立されているため、たとえ感染しても多くは無症状で子供も重篤化しない。

そんな状況なので敢えて「問題発言」をするなら、糖尿病の老人層と、加齢が極まった老人層、多くの疾患を持つ老人層の「コロナ感染死」を防ぐため、大勢の若者と社会の中枢を担う人々が、人工的異物を体内接種させるリスクを国や政府が犯してもいいのかという疑念だ!!

さらに言うなら、自民党が全高齢者を優先してワクチンを接種させるなら、それだけで高齢者のコロナ感染が心配なくなるため、コロナ感染しても無症状な若者層を老人と一緒にワクチン接種させる意味がない。

自分の意思で「遺伝子組み換えワクチン」を接種した人も、額面通りの効果ならそれだけで感染しなくて済むはずで、接種しない人に自分と同じ接種を強制する必要はなくなる。

そうさせないため、東京の「アメリカ大使館（極東CIA本部）」は、日本の全TV局に欧米（特にイギリス）の状況を日々見せ付けることで、状況が欧米と全く違う日本に「コロナパニック」を仕掛けている。

欧米の若者と子供が感染死するようなレアケースを取り上げさせ、日本でも同じことが起きると印象付け、それをTVに流して母親を慌てさせ日本の児童への〝予防接種〟を推し進める。

これは「オレオレ詐欺」と同じ手口で、特に日本人はオレオレに弱いことをCIAは知り抜いている!!

しかし、自分さえしっかりしていれば、周囲の動向に関係なく、むしろ逆にその流れを利用すれば幾らでも抜け道が見つかるということだ!!

Part 12

ビル・ゲイツは
陰謀サイトを
次々と徹底的に削除!!

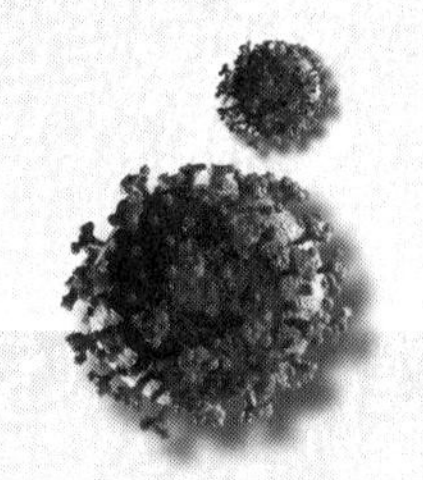

超富裕層ビル・ゲイツが目指す「パンデミック・アラートシステム」の独占!!〈前編〉

「ビリオネア（Billionaire）」という言葉がある。

最近の欧米圏の造語で、10億（1billion）以上の個人資産を持つ〝ミリオネア〟を超えた超富裕層を「ビリオネア」とし、彼ら超特権階級がいる仮想世界を「リッチスタン（Richistan）」という。

その代表格が「マイクロソフト」の共同創業者のビル・ゲイツで、妻と慈善団体「ビル・アンド・メリンダ・ゲイツ財団」を興したアメリカの「ビリオネア」である。

そのビル・ゲイツは「COVID19」の発生以前から「パンデミック（世界大流行）」を予測するコメントを公然と出し続けていた。

その経緯から、アメリカではSNS上に「新型コロナワクチン接種はビル・ゲイツの陰謀!!」の類が拡散しており、その異常なほどの拡散にビル・ゲイツが大慌てで全面削除をさせている。

2020年5月、「Plandemic」のタイトルで〝反ワクチン運動〟を掲げ、ビル・ゲイツの陰謀を暴露する動画サイトがSNS上に登場し、削除までに800万回が再生された。

この動画サイトでコロナ対策トップのアンソニー・ファウチ博士の陰謀を暴露、遺伝子組み換えワクチンが世界中の人々の「免疫システム」にダメージを与える調査結果を隠蔽していると主張した。

さらに続編「Plandemic: Indoctrination」では、ビル・ゲイツと遺伝子組み換えワクチンに関する陰謀が暴露され、ビル・ゲイツ側が全SNSに対し迅速に動いた結果、限定的再生数に留められた。

ビル・ゲイツが陰謀サイトを削除させた理由は、「全米と世界各国のコロナワクチン普及の妨げになりかねないからだ」とし「誤情報だから」とした!!

このビル・ゲイツのやり方を、アメリカの「表現の自由」とどうバランスを取るかだが、特にドナルド・トランプ（前）大統領の「Twitter の書き込みを、一企業の「Twitter 社」が大統領のアカウントを永久停止した出来事を髣髴（ほうふつ）させる。

一つのグローバル企業が国のトップの発言を自由にできる行為に、ドイツのアンゲラ・メルケル首相は、基本権としての「言論の自由」は立法機関にだけ制限できると不快感を表した。

グローバル企業ならWindowsの「マイクロソフト」は「Twitter社」の比ではなく、言論の自由が前提のSNS上の書き込みを、どんな理由とはいえ徹底的に削除させる権利が果たして一企業にあるのかということだ。

トランプ（前）大統領に対する「Twitter社」の対応に世界的グローバル企業の「Facebook」「Instagram」も従い、トランプのアカウントを次々停止させたのは、巨大化した「プラットフォーム企業」がアメリカの立法機関より上になったことを象徴している。

2021年1月27日、ビル・ゲイツは「ロイター社」の取材に応じ、自分とアメリカのコロナ対策トップのアンソニー・ファウチ博士への陰謀論は、パンデミックに対する恐怖心とソーシャルメディアの台頭で起こされたと主張、その根拠のない主張に対し削除を依頼したとした。

現在、アメリカを覆うパンデミックへの根強い疑いは、中国発祥は疑わないものの、ビル・ゲイツがコロナ禍の緊急事態を利用して遺伝子組み換えワクチンを開発し、世界中の人々にマイクロチップを埋め込もうとしているとする内容だ。

ビル・ゲイツは、そんな「陰謀論」を根拠のない主張とし、人々がそんなデタラメを信じる原因が重要で、結果的に人々のワクチン接種行動を規制するなら、我々はこの流れを最小限に抑えるべきと判断すると述べた。

ビル・ゲイツはロイターのインタビュー中、ファウチ博士と「米国立衛生研究所」のフランシス・コリンズ所長の行動を称賛することを忘れず、バイデン政権の下で彼ら二人が力を合わせる姿を見るのは楽しみだと語った。

同時に「ビル・アンド・メリンダ・ゲイツ財団」はこれからもコロナとの戦いに巨額の資金を注ぎ、「モデルナ社」「アストラゼネカ社」のワクチン開発を支援すると語った。

同日、財団の「年次書簡」を通して、ビル・ゲイツは将来のさらなるパンデミックに備える世界規模の協力を惜しまず、その脅威を「世界戦争」と同レベルと主張した上、世界中に自分の主張する「メガ診断プラットフォーム」を置き、世界人口の20%を毎週テストできる態勢を整えるとした。

ハッキリいえば、ビル・ゲイツが最も疑われるのは、彼が目指す〝パンデミック・ビジネス〟の独占で、その検出警告システムに「パンデミック・アラートシステム」と勝手に名付けていることだ!!

超富裕層ビル・ゲイツが目指す「パンデミック・アラートシステム」の独占!!〈後編〉

超グローバル企業を達成した人間は超特権階級の仮装世界「リッチスタン（Richistan）」に所属する「ビリオネア（Billionaire）」として、その権力は国や政府を超え統治者の権限も越える。

その代表格が「マイクロソフト」の共同創業者ビル・ゲイツで、妻と慈善団体「ビル・アンド・メリンダ・ゲイツ財団」を興し、コロナ禍の緊急事態に備えた遺伝子組み換えワクチンを開発させ、それを接種させることで世界中の人間の「メモリーB細胞」「メモリーT細胞」の免疫系をゲイツ流に書き換えようとしている。

人工的に加工されたワクチン接種から「B細胞」のメモリーが書き換えられ、そのまま体内に残りつづけ、「COVID19」が突然変異を繰り返す度に「mRNAワクチン」を次々と体内接種する事態に陥ると、最後には確実にヒトの免疫系破壊の連鎖反応が起き、2度と元に戻ることはない。

さらに不可解なのは、世界中の接種者にどんな異常が起きても、ビル・ゲイツ財団と製薬会社への責任は〝緊急事態〟の名の下で完全免責され、「ASKAサイバニック研究所」は遺伝子組み換えワクチンを中世カトリック教会的に「免罪符ワクチン」と名付けている!!

ヒトが何の保証もない遺伝子組み換えの「mRNAワクチン」を接種するには、その下地となる〝撒き餌〟が必要で、それが「新型コロナウイルス/COVID19」で、後は「オオカミ少年症候群」でパニックを起こす道具「PCR検査」があればいい。

「PCR検査」がデタラメの結果しか出さない証拠は山ほどあるが、日本人に最も分かりやすいのは、冬場に大流行する「インフルエンザ患者」がほとんど現れないことだ。

2020年11月の国内の「インフルエンザ患者数」は前年の9割減で、専門家は対コロナ感染予防の行動様式が国民一人ひとりに浸透した結果とする……が、それは大間違いで、「PCR検査」がインフルエンザ患者をコロナ陽性患者に判定しているだけである!!

さらに2月は「スギ花粉症」が猛威を振るう季節で、それもコロナ陽性患者にカウントされると、「オオカミ少年症候群」が加速、我も我もと無料の遺伝子組み換えワクチンへと殺到する。

そんな中、感染力が従来のコロナウイルスより70%高い「イギリス型変異株ウイルス/

B・1・1・7」が日本に上陸、毒性も従来より30%高いとする情報が入るや、ますますパニクって「オオカミ少年症候群」を周囲にも連鎖させていく。

基本的に「PCR検査」は陽性、偽陽性を弾き出す欠陥検査法で、何度も述べるように「PCR／ポリメラーゼ連鎖反応（polymerase chain reaction）」の発見者キャリー・バンクス・マリス自身が、PCR自体は正しいが検査に用いるのは狂気の沙汰としている。

そもそも「PCR検査」は「ウイルスの死骸をカウントする検査」と知るべきで、大気中に一体どれほどの種類と数のウイルスと細菌と花粉が浮遊し、呼吸の度にそれらを取り込んでいるかを思い出すべきだ。

CIAに全面協力するビル・ゲイツは、毒性がほとんどなく拡散力だけが強い「COVID19」を創り、それを中国の「春節大移動」を利用して世界に拡散させた。

その見返りにビル・ゲイツが得るのは「メガ診断プラットフォーム」を世界中に配置する「パンデミック・アラートシステム」の独占権で、ロックフェラー財団をバックにした「パンデミック・ビジネス」の世界支配権である。

それに必要な仕掛けがインフルエンザウイルスの15倍の長さのRNAを持つ「COVID19」で、突然変異を次々と繰り返すことで「変異の度にワクチンも変異させればいい」とし、次々に新たな変異ワクチンを接種させていく……と、いつか必ずヒトの免疫系が書き換えによって崩壊することになる。

２０２０年2月2日、イギリス保健当局は、新型コロナウイルスの「イギリス型変異株」がさらに「Ｅ４８４Ｋ」に変異したと発表、今接種しているコロナワクチンでは有効性に懸念が生じたと発表した!!

日本はイギリスがアメリカ最大の同盟国と知るべきで、マスコミ誘導でパニックに陥る日本人は激増の一途をたどり、このままでは変異株出現の度に〝怖い怖い〟でビル・ゲイツの「世界医療独占システム」に命を捧げる行動へ一目散となる。

その先に待つのが「ロスチャイルド」と「ロックフェラー」の組織「イルミナティ」で、彼らの神ルシフェル（バアル神）の復興に欠かせない〝免疫系破壊〟による数十億人もの無残な溶解死の生贄で、ビル・ゲイツはその後の「統一政府」の新世界秩序のために働いている。

Part 13

ビル・ゲイツは「ワクチン・パンデミック・ビジネス」を暴露した飛鳥の YouTube を削除した!

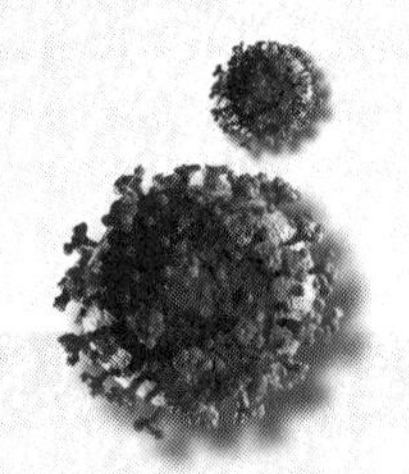

日本人を舐めるなよ！　ビル・ゲイツ‼ ①

２０２１年1月29日午後３：13、YouTube に公開した有料メルマガ foomii で連載中の『ＡＳＫＡサイバニック研究所』の3分映像が公開後数時間で削除された。

今、そこをクリックしても「この動画は、YouTube 利用規約違反のため削除されました。」のコメントが出てくるだけである。

思わず「？」だが、アメリカでビル・ゲイツが削除に必死なのは1時間ほどの本格的な動画（YouTube なので当然動画だが）で、わずか数分の foomii 宣伝のＣＭを削除するのは尋常ではない。

YouTube から「飛鳥堂株式会社」に送られてきた警告 mail も普通ではない。

「YouTube は、地域の衛生当局または ＷＨＯ（世界保健機関）の専門家間で広く合意されている内容と矛盾する、ＣＯＶＩＤ19（新型コロナウイルス感染症）ワクチンに関する主張を展開することを許可していません」

基本的にＳＮＳは自由を基本とする世界のはずで、中国共産党ではない限りグローバルとはいえ一企業ごときが「社則」を盾に阻止する資格も地位もないはずで、ネット上のリスクはＳＮＳで商売する以上、犯罪性がない限りは「経費」と同様背負わねばならない範囲である。

わずか数分の本文ではない宣伝も削除するほど傲慢な組織（ビル・ゲイツの財団）にYouTubeが乗っ取られつつある様子が窺える。

それも映像ではなくコメント音声のみの削除で、これが意味することはいかにビル・ゲイツに致命傷を与える内容かが分かる。

YouTubeのＵＲＬを置いた「Twitter」に、飛鳥昭雄のコメントとして「ビル・ゲイツが本当に目指すのはこの男の財団による国際医療システムの独占とその支配で、それに必要だったのが遺伝子組み換えウイルスの拡散で、合法的パンデミックビジネスだった!!」と記したが、YouTubeは動画でしか判別できないはずである。

実は最近、世界的に「Twitter」がYouTubeと関わる動画の画像を共有できなくする動きがあり、今は元に戻ったようだが、まるでTwitter社がYouTubeを拒否する動きがあったとしか思えず、その間、一体両社の間で何が起きていたのかいまだ不明のままである。

それはそれとして、次にYouTube側から「飛鳥堂株式会社」に送られてきた正式な「警告 mail」を公開する。

「今回は初回であるため警告のみですが、再度このようなことが起こった場合、チャンネルは違反警告を受けることになり、アップロード、投稿、ライブ配信などの操作が１週間できなくなります」

要は「ＡＳＫＡサイバニック研究所」が暴露する「遺伝子組み換えワクチン」の内容が、ビル・ゲイツ財団に致命傷を与え兼ねないレベルということが、今回の YouTube の対応が証明したことになる……わずか数分の音声コメント（実は動画ではない）だけでこの反応は、飛鳥昭雄情報への目に見えた「勲章」となった!!

全てを疑うのが「自由」の第一歩のはずで、「共産主義国家」「独裁国家」ではない限り、「ＷＨＯ（世界保健機関）の専門家間で広く合意されている内容と矛盾する」コメントでは削除などしないだろう。

これでは国際機関として世界中から承認された「ＷＨＯ」の〝広く合意されている〟はずの事務局長テドロス・アダノムへの疑惑も、YouTube ではできないことになるが、今回の警告文から逆に「ワクチンに関する主張」が削除の理由と分かる。

要は、ビル・ゲイツ財団が進める「国際秩序（パンデミック・ビジネス）」に逆らう主張や陰謀の証拠データは、YouTube で削除対象になると言っているのだ。

こんな子供だましの英語圏の「言葉」で、「言霊」の日本人に勝てると思うなら、ビル・ゲイツの頭は12歳程度というしかない。

YouTubeは間違いなく「AI」の「アルゴリズム(algorithm)」で〝音声〟を監視しているのだろうが、そもそもアルゴリズムとは「計算可能なことを計算する」ための速度が異常なほど速いだけで、裏返せば計算外をやれば簡単に引っ繰り返せる代物だ。

例えば、ビル・ゲイツを「ビャー・ゲイト」にし、コロナウイルスを「コロタン文庫」にし、コロナワクチンを「コロコロ・コミック」にするだけでもアルゴリズムは崩壊する。

仮に「ビル・ゲイツ=ビャー・ゲイト」とAIが切り替えても、その元を公開されたら「ビャー・ゲイトはコロタン文庫を作ってコロコロ・コミックも販売した」という内容を削除したことになり、ビル・ゲイツは世界中の笑い者になる(笑)。

それだけではない、今回のYouTubeの削除が「飛鳥情報」の正確さに箔をつける結果を生み出した以上、アナログ展開でデジタル仮想現実を破壊することにした!!

『打つな!飲むな!死ぬゾ!!』の本を、全国書店に展開できる「ヒカルランド」から緊急出版させることにした!!

日本人を舐めるなよビル・ゲイツ!!

日本人を舐めるなよ！　ビル・ゲイツ‼ ②

ビル・ゲイツの正体をある意味で暴いていたハリウッド映画『サベイランス――監視――』（２００１年）を紹介する。

「スタンフォード大学」を卒業した天才プログラマーのマイロ・ホフマン（ライアン・フィリップ）は、コンピュータ・ソフトウェア業界のトップ企業「ＮＵＲＶ（Never Underestimate Radical Vision）」のＣＥＯゲーリー・ウィンストン（ティム・ロビンス）から直接連絡を受け「ＮＵＲＶ」に入社する。

同社の社運をかけた新コミュニケーションシステム「シナプス」の開発に携わることになったが、その後、マイロは同じ天才プログラマーの親友テディ（イー・ジェー・ツァオ）が殺されたことを知る。

不可解な事件はそれだけに留まらず、次々と天才プログラマーが殺され、その度にゲーリーの「シナプス」が完成度を増していく……。

映画『サベイランス―監視―』が完成した当時、SNSの世界制覇を狙うゲーリー役を、ビル・ゲイツとソックリなティム・ロビンスが演じたため、「Microsoft」の危険性が取りざたされ始める。

そんな中、世界規模で起きた「新型コロナウイルス・ショック」に対し、10年前からパンデミックの準備をしてきた先行投資で早期開発できた「遺伝子組み換えワクチン」の基本がビル・ゲイツ製だったことから、「9・11」同様の自作自演が囁かれるようになる。

世界中に人工遺伝子組み換えウイルス「COVID19」を蔓延させ、その「ゲノム設計図」を基に開発する遺伝子組み換えワクチンは、結果としてビル・ゲイツ財団製のワクチン一色で染まることになり、映画『サベイランス―監視―』と似た展開になっている。

では現実はどうかというと、映画と全く同じ不審死事件がアメリカで続出していたのである!!

その一つが、キャリー・マリス教授であることはすでに述べた。

それだけではない。2020年5月2日、「ピッツバーグ大学医大」のビン・リウ助教授（37歳）が自宅で頭と首、胴を銃弾でハチの巣にされて死亡する事件が起きる。

前述したビン助教授だが、医大の「コンピュータ・システム生物学部」のラボで研究する中、「SARS-CoV-2（COVID19）」感染の細胞メカニズムと合併症細胞基礎の仕組みに重大な疑念を発見、マスコミを通して暴露公開する直前の死だった!!

ビン助教授は「新型コロナウイルス」の正体を公表する前、容疑者の中国系男性ハオ・グ（46歳）によって射殺されたが、この犯人も1・6キロ離れた所に駐車してあった車の中で死んでいた。

「ピッツバーグ警察」は容疑者がビン助教授を殺害した後、車内で自らの命を絶ったと発表したが、この手口は「CIA」が最も得意とするやり方で、選んだ捨て駒が重要人物を殺害した犯人と思わせ、最後にその捨て駒を殺せば事件は全て闇に葬れるのである!!

「火のない処に煙は立たない」というが、時流に乗るしか能がないマスコミに誘導され、免責特権を受けるビル・ゲイツ製遺伝子組み換えワクチンを、国民の全てが体内に注入する行為は狂気の沙汰である!!

細胞のレセプターが「COVID19」の突起スパイクと同じ白人ならいざ知らず、既に免疫系を確立している日本人がビル・ゲイツ製の人工遺伝子ワクチンを接種すると、既に確立している自然免疫系をビル・ゲイツ製の遺伝情報に置き換えられるため、確立していた分だけ白人より強いダメージを受ける可能性がある!!

一般人へのワクチン接種が始まる前に、『打つな！飲むな！死ぬゾ!!』の飛鳥本を「ヒカルランド」を介して全国の書店とAmazon、楽天に流す必要がある!!

日本人を舐めるなよ！　ビル・ゲイツ‼ ③

1985年10月から2004年3月まで、テレビ朝日で久米宏をメインキャスターにした「ニュースステーション」という報道番組があった。

そこで妙な事件が起きたのは、青森県「三沢基地」にある「NSA／国家安全保障局」の通信傍受システム「エシュロン」について、日本国民にとって相当ヤバイ内容の特集になると言われてからだ。

当時、「ゾウのオリ（エレファント・ケージ）」と呼ぶ巨大構造物が三沢にあり、それが「エシュロン」で日本人のプライバシーをアメリカが覗き見しているという噂があった。

そして、いよいよ放送当日、テレ朝の「ニュースステーション」の担当ディレクターのパソコンを開くと、そこに保管してあった映像が全て消えていた……

当然、放送どころか企画そのものがデータ消滅と共になくなってしまう。大分後になって、日本の「横田基地」の「NSA（国家安全保障局）」の施設にいたエドワード・スノーデンが、世界中に張り巡らされた通信傍受システムを暴露するまで、テレ朝事件は謎のままだった。

「スノーデン文書」により、「エシュロン」の正体が明らかになったが、驚くべきは日本人全員の通話を傍聴するため「ＮＴＴ」はもちろん、「docomo」「Softbank」「au」もmailを含む盗聴許可をアメリカに出していたことである。

それどころか、スノーデンが日本でやっていたのは、日本がアメリカに逆らった場合に備え、「アメリカ大使館（極東ＣＩＡ本部）」が「読売新聞」の正力松太郎（今はナベツネ）と自民党を通して日本中に建設させた「原発」を、ボタン一つで電源喪失させるシステムを構築していたのだ。日本中の「原発」をメルトダウンで自爆させるシステムとは、なんともおそるべき恐喝だ。

その状況に対し、「あまりにも無知な日本人が哀れでならない」とスノーデンは後述している。

これで何が分かるかだが、ビル・ゲイツの「Microsoft」が開発したＯＳ「Windows」には「バックドア」が仕掛けられており、「ＮＳＡ」や「ＣＩＡ」はそこから自由に出入りし、企業や個人データを持ち去り消去もコピーもでき、「ウイルスソフト」は全く役に立たないのだ。

アメリカでは、ウイルスソフトを開発するには、極秘の侵入プログラム（鍵）をアメリカ政府（NSAの意味）に提出しなければ、商品販売が承認されない仕組みになっている。

テレ朝の「ニュースステーション」の跡を受けた「報道ステーション」は、2004年から古舘伊知郎をメインキャスターに迎えスタートしたが、2014年、反原発・脱原発を掲げる岩路真樹ディレクターが突然不審死し、その裏を暴く写真週刊誌「Flash」の販売も突然中止になる異例尽くしの展開となった。

岩路ディレクターは、生前から「俺が死んだら殺されたと思ってくれ」と周囲に話していた。この件では「アメリカ大使館（極東CIA本部）」が「COVID19」を武漢で蒔く際に使ったと同じ日本国籍の「在日コリアン」が接触した可能性がある。

彼らは「御巣鷹山（おすたかやま）」に墜落したジャンボジェット機「JAL123便」の時にも現れている。

当時、御巣鷹山（今は正式名になっている）は正式ではなく、地元の救援隊を混乱させる目的で、墜落現場は不明とする中、秘密裏に集合して出動した〝偽自衛隊〟が墜落現場に到着、当初は大勢がまだ生きていたが「火炎放射器」で二度焼きにして次々と殺していった。

後の現場検証から、墜落時のジェット燃料の火災にはない「火炎放射器」の燃料の一つ

「タール」が全所に残っていた。

彼らは自衛隊の服装以外は所属部隊を示す襟章もない「在日コリアン偽部隊」で、アメリカ大使館のＣＩＡが御巣鷹山に送った人間だったが、小学校の校庭に一時集合したところを村人が撮影している。

その後、現場到着した自衛隊の一人が偽自衛隊に近づいた際に射殺され、このニュースが「待機命令に反して救出を急いだ自衛隊員を射殺!!」として流され、後に自殺へと変わる。

当時は自民党の「中曽根内閣」の頃で、閣僚に竹下登や安倍晋太郎（安倍晋三の父）らがいて、相模湾上で試運航中だった護衛艦「まつゆき」が誤って発射した艦対空ミサイルが「ＪＡＬ１２３便」の尾翼を直撃、２機の自衛隊の「ファントム機」が追尾する中、ダッチロール状態で墜落、中曽根首相の独断で「アメリカ大使館（極東ＣＩＡ本部）」が動いた。

それはそれとして、いつものことだが「Microsoft」から突然「Office 更新プログラムのインストール」が来て、すぐにやるか数時間後かを問うてきた……

翌朝からだと仕事に支障があるため、スグに更新することにしたが、翌日になってパソコンを開くと「ヒカルランド」のファイルの中から『打つな！飲むな！死ぬぞ!!』の原稿が消えている!!

飛鳥昭雄は危機管理から原稿は「Word」と「Text」で保存するが、そのどちらもが綺麗にファイルから消え「検索」をかけても見つからなかった。

そこで仕方なくUSBコードをつないで「外付けハードデスク」から原稿を拾い出すことにしたが、「Microsoft」は要注意なので先に対応しておいたのである。

かくして「ヒカルランド」から日本中の書店に『打つな！　飲むな！　死ぬゾ!!』の飛鳥本が並ばない事態だけは防ぐことができた!!

Part 14

口から接種できる世界初のワクチン！

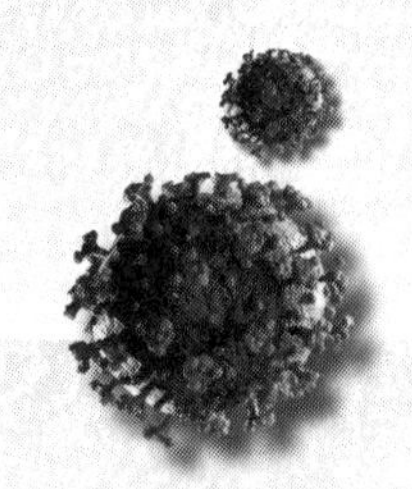

ヤバイ経口型遺伝子組み換えワクチン薬の登場‼

イギリスのバイオ・ベンチャー「イオス・ビオ／ios Bio」社が、飲む「遺伝子組み換えワクチン」の製造をアメリカの大手製薬企業とタイアップして一気に量産すると発表した。口から接種できる世界初のワクチンはカプセルに入った顆粒状で、水で飲める「経口ワクチン」となる。

他の錠剤と同様に常温で持ち運べ、摂氏50度でも変質しないため、熱帯にも「経口ワクチン」を大量に運ぶことが可能である。

今、世界中で使われるワクチンのほとんどは温度管理が難しく、運搬途中でほぼ半分が駄目になるが、錠剤カプセルはその心配がなく、注射器を使わない分だけ扱いやすく、処方も簡単なので一気に世界中に拡散すると思われる。

「ios Bio」社の経口薬は「ワクチン」である以上、ビル・ゲイツの「遺伝子組み換えワクチン」と基本は同じものだ。

従来の体内に注射器で打つワクチンは「全身免疫」というが、飲む経口ワクチンの方は「粘膜免疫」という。

両者のどこが違うかというと、「全身免疫」はウイルスが体内に侵入してから殺すシステムで、「粘膜免疫」はウイルスが体内に侵入する前の〝粘膜〟で迎え撃つシステムである。

「COVID19」は人の口を通して肺や胃に侵入するが、それを「口内粘膜」「喉粘膜」「腸内粘膜」「眼球粘膜」等で殺してしまう方法である。

当然だが、ヒトの「免疫細胞」のほとんどは外気と接する「粘膜」に集中しており、そこで「COVID19」を迎え撃てば体内に入ってこないはずである。

粘膜を鎧(よろい)かバリアーにして「COVID19」をシールドすれば、夏の夜のコンビニ等でパチパチ音がする「電撃殺虫機」のように、コロナが体内に飛び込むのを夏の虫のように撃ち落とすことになる。

が、それはワクチンを摂取しやすくなるだけの話で、ブツが「遺伝子組み換えワクチン/mRNAワクチン」であることに変わりはなく、経口型は幼児や児童対象のワクチン接種にはもってこいのため、子供に多用されると思われる。

恐ろしいのは粘膜の「免疫系」が「COVID19」の変異の度に経口ワクチンの方も書

き換える可能性があり、目の粘膜を含む体全ての粘膜の免疫系がビル・ゲイツ流に書き換えられてしまう。

すると、『聖書』が預言する全人類の3分の2が瞬時にドロドロに溶け落ち〝溶解死〟する記述の多くが〝粘膜〟と分かるはずだ。

「肉は足で立っているうちに腐り、目は眼窩の中で腐り、舌も口の中で腐る。」（『旧約聖書』「ゼカリア書」第14章12節）

「わたしは、また手を返して小さいものを撃つ。この地のどこでもこうなる、と主は言われる。三分の二は死に絶え、三分の一が残る。」（『旧約聖書』「ゼカリア書」13章7～8節）

日本の預言書『日月神示』も同様の記述を残す。

「三分の一の人民になると、早くから知らせてあったことの実地が始まっているぞ。何もかも三分の一じゃ。大掃除して残った三分の一で、新しき御代の礎（いしずえ）と致す仕組みじゃ」

（『日月神示』「扶桑之巻」第7帖）

おそらく「オオカミ少年症候群」でパニックに陥った日本人の8割近くが、ビル・ゲイツ製遺伝子組み換えワクチンを自らの意思で接種するのだろう……

しかし、本当の知識がある医師や学者、ヤバいと知る人々は日本政府やマスゴミの甘言に乗らず、「同調圧力」も無視して「ｍＲＮＡワクチン」の接種を拒否するのだろう。

Part 15

ビル・ゲイツは
特殊遺伝子の日本人に
必要のないワクチンを
どうしても打たせたい！

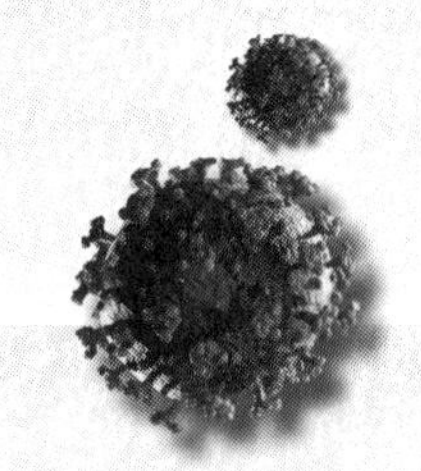

ワクチン接種を加速させる「COVID19日本人集団免疫率1％」の仕掛け‼ ①

「京都大学」から日本政府に指摘した「日本人には免疫がある‼」意見に対し、自民党政府は以下の数値を出して正式に否定した。

「東京の集団免疫率0・91％、大阪の集団免疫率0・58％、愛知の集団免疫率0・54％……新型コロナに対する日本人の集団免疫は到底免疫というレベルではない‼」

要は「遺伝子組み換えワクチン」に頼るしか道はないメッセージを全国に発布したわけだ‼

後ろから「アメリカ大使館（極東CIA本部）」が自民党に命じてマスゴミ・に流しているわけだが、日本の正式な「分析機関」が出した以上は仮に百歩譲って正確な数値としよう。

だが、この1％に満たない集団免疫率こそ、逆に「アメリカ大使館（極東CIA本部）」に致命的ダメージを与える秘密が隠されている。

何度も指摘するように、数値の基本となる「％（分数）」の「分母＝PCR検査」がデタラメの事実もさることながら、日本の人口がアメリカの37％もあるのに、感染者数がアメリカの1・4％で、死者数に至ってはアメリカの1・3％に過ぎない理由が「集団免疫率はない!!」という理屈では逆に説明ができず、謎が謎を増幅するのである。

●インド（人口：14億0286万2229人）／感染者数1081万4304人、死者数15万4918人

●EU全国家（人口：約4億4700万人）／感染者数3110万7562人、死者数73万0067人

●アメリカ（人口：3億3562万4927人）／感染者数2770万9924人、死者数48万0493人

●日本全域（人口：1億2427万1318人）／感染者数40万2373人、死者数6295人

2021年2月6日18：15更新データ（※中国のデータは共産党のフィルターを通すので信用できない）

この凄まじい数値差を「到底免疫があるというレベルではない!!」の言葉では、逆に数値差の〝矛盾〟をさらに拡大させるのだ!!

ところが、〝変だ〟と思う暇を与えないマスゴミ誘導が凄まじいため、日本人の大多数は〝集団免疫がない事実〟で最後の望みが絶たれ、一気に「オオカミ少年症候群」が加速して「ワクチン接種」に走ることになる。

この凄まじい死亡数の差の答えは、前述したように2019年初旬から日本中の地方都市で頻発した在日米軍輸送機「C－130J」による高度200メートル（米軍の攻撃高度）から散布した「低空ケムトレイル」にある!!

この時、米軍機は「新型コロナウイルス／COVID19」を日本各地に空中散布、日本中で「クラスター（感染爆発）」を起こし、感染した日本人（ほとんどが無症状か軽い風邪症状）の観光客とビジネスマンを通して世界中を「パンデミック／世界的大流行」に陥れる効果を見るための実験だった!!

2020年2月3日に横浜港に寄港した「ダイヤモンド・プリンセス号」事件の時、既に日本では新型コロナが拡大した証拠が出て来て、「ファクターX」もあり、それがもう消えている事実も判明した。

幾らまいても「COVID19」に日本人が感染しても、パニックが起きるほど老人の死亡率に変化がないことに焦ったCIAは、急遽、2019年秋に日本国籍の在日コリアン2人を武漢に送り込み、「COVID19」をばらまくことに変更した。

結果、アメリカとEU各国に感染しても無症状の日本人が「COVID19」をばらまき、武漢より前に「COVID19」が欧米に蔓延していた事態を引き起こした。

ではなぜ日本人に「COVID19」が効かないかというと、大昔から「大和民族」の細胞に備わる受容体「レセプター」が、ビル・ゲイツ財団が人工的に創った「COVID19」の突起「スパイク」と合わない変異型だったからだ!!

さらに「BCG接種」「和食」「茶」等の習慣も加わり、日本人は世界でも稀な特殊遺伝子を持つ国民だったのである。

そこで今、「アメリカ大使館（極東CIA本部）」は自民党と創価学会・公明党を使い、TV、新聞も駆使して大袈裟な「オオカミ少年症候群」と、民間への「同調圧力」の忖度(そんたく)効果で日本人を騙すしか手がなくなったのである。

こうして東京の「アメリカ大使館（極東CIA本部）」は、何が何でも「免疫系破壊ワクチン」を打つ必要のない日本人に対し、あの手この手でパニックを起こして接種させようと躍起になっている。

ワクチン接種を加速させる「COVID19日本人集団免疫率1％」の仕掛け!! ②

ここに一つの記述があるので紹介する。

「彼らは非常に多くの集団だった……自分の足で立っていた……突然、骨から筋と肉が剥がれ落ちた……次に皮膚が溶け落ちた……カタカタ音を立て骨と骨が外れた……谷底は非常に多くの骨が散らばった……谷は骨でいっぱいになった……」

実はコレ、『旧約聖書』「エゼキエル書」第37章1～10節の、谷底に無数に散らばる人骨の群れを絶対神ヤハウェが〝復活〟させる記述を故意に〝逆転〟させたものだ。

「主の手がわたしの上に臨んだ。わたしは主の霊によって連れ出され、ある谷の真ん中に降ろされた。そこは骨でいっぱいであった。主はわたしに、その周囲を行き巡らせた。見ると、谷の上には非常に多くの骨があり、また見ると、それらは甚だしく枯れていた……（中略）……わたしが預言していると、音がした。見よ、カタカタと音を立てて、骨と骨とが近づいた。わたしが見ていると、見よ、それらの骨の上に筋と肉が生じ、皮膚がその上をすっかり覆った……（中略）……わたしは命じられたように預言した。すると、霊が彼らの中に入り、彼らは生き返って自分の足で立った。彼らは非常に大きな集団となった。」

「聖書学」から言えば、「死」と「復活」は背中合わせで、映像的にはほとんど逆回しになる。

今の国際社会を支配するのは、アメリカでも、イギリスでも、ロシアでも、中国でもない……世界の資金（1京ドル以上）の7割以上を支配するイギリスの「ロスチャイルド一族」と、アメリカの「ロックフェラー一族」で、資産を加えると彼らが真の支配者と分かる。

イギリスでポンドを幾らでも刷れる「ロスチャイルド一族」と、アメリカでドルを自由に刷れる「ロックフェラー一族」は共に『イルミナティ（後期）』を組織、下っ端の超富裕層の一人のビル・ゲイツに命じ、光を運ぶ異名の「ルシフェル（バアル神）」をエルサレムの「第三神殿」で復活させる時、聖徳太子が預言する黒い男色魔「鳩槃茶（クハンダ）」であるバラク・オバマに逆らう世界の統治者と、第三神殿をバアル教に乗っ取られた世界中の軍を瞬時に消滅させる必要があり、ヒトの免疫系を完全破壊する「遺伝子組み換えワクチン」を段階的に摂取させていくのである。

この『イルミナティ（後期）』の計画から判明することは、世界中の人々の健康に対する真の敵は、下地を創る目的の「新型コロナウイルス（COVID19）」ではなく、摂取する「mRNAワクチン」の方で、「PCR検査」の似非データでパニくる人々を、自分と自分の家族の体を溶解させる「mRNAワクチン」の継続接種へと走らせることにある。

ワクチンの2度打ちは当然としても、次の段階でビル・ゲイツが企んだのが「COVID19」の突然変異の度に書き換えワクチンをその度に接種させることだ。

初期のワクチンだけでは効果が薄れる情報にパニクった人々は、大急ぎで「変異ワクチン」にも手を出すよう仕向けていくのである。

2021年2月2日、イギリス保健当局が新型コロナウイルスの「イギリス型変異株」がさらに「E484K」に変異したと発表、今接種しているコロナワクチンでは有効性に懸念があると発表した!!

次に一種類のワクチンの2度打ちだけでは効果が薄いとし、何種類かの他メーカーワクチンとの混合が効果的と誘導していく!!

白人種の遺伝的特徴から1度目はそれなりの効果が出ても、それだけではウイルスに対する効力が薄いとなると、また大勢の人が他メーカーのワクチンにも手を出すことになる。

これも発信源がイギリスになるだろうが、「〇〇ワクチンと△△ワクチン」「■■ワクチンと●●ワクチン」が効果的と誘導する計画が見えてくる。

そこで気付かねばならないのは、イギリスに拠点を持つのが「ロスチャイルド」で、アメリカの医薬業界を支配するのが「ロックフェラー」の構図で両者一体の仕掛けである。

2021年2月5日、イギリスから新型ウイルスのワクチンについて2種類の異なるワクチンを併用した場合の有効性が世界に向けて発信された!!

イギリスの権威ある「オックスフォード大学」がワクチン併用効果と有効性の臨床試験を開始したのである。

臨床試験ではイギリスの製薬企業「アストラゼネカ」とアメリカの製薬企業「ファイザー」のワクチンを併用させ、接種の順と間隔を変えながら効果を検証するという。

これで一つのメーカーのワクチンの供給が滞っても、各国の接種計画に影響が出にくくなることで「供給の柔軟性が高まる」という。

が、アメリカとイギリスの表向きのコンビネーションは遺伝子を玩具のように扱う連中の「人類大虐殺計画」が隠れており、それに乗って懸命になる各国政府も人も狂気の沙汰と言うしかない。

Part 16

イルミナティ後期は極端な悪魔崇拝と化していると知れ！

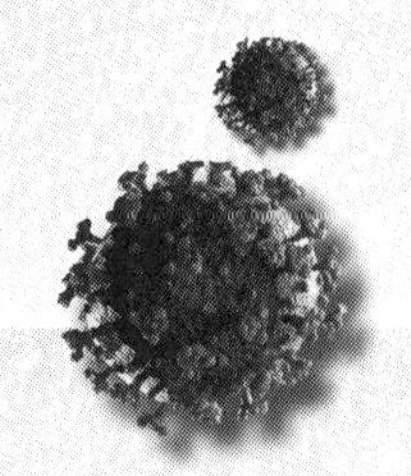

ワクチン接種を加速させる「COVID19日本人集団免疫率1%」の仕掛け!!③

日本では『イルミナティ』を全く知らない人が大勢いる一方、「フリーメイソン」と一緒と信じて疑わないオカルト愛好家やオカルト研究家も大勢いる。

飛鳥昭雄が現在のイルミナティを〝後期〟と表すのは、前期と似ても似つかない様相を持つからに他ならない。

ロスチャイルドの創設者マイアー・アムシェル・ロートシルトは、ヘッセン＝カッセル方伯家の御用商人の銀行家として大成功し、「ナポレオン戦争」の金貸しでさらに莫大な財を成したが、同じ時代にいた「イルミナティ」の創始者アダム・ヴァイスハオプトに近づき、ヴァイスハオプトが所属した「近代フリーメイソン」も一緒に手中にしようとした。

しかし、ロートシルトの思惑は失敗に終わり、代わりにヴァイスハオプトの「イルミナティ」を乗っ取り、以後、そこへ「バアル教団」の儀式「幼児生贄」を移し、2017年、オランダのメディアを通してオランダの金融会社「de blije b」の創設者ロナルド・ベルナルドによりロスチャイルド一族の「闇の儀式」が暴露された。

「イルミナティ（前期）」は初期の共産主義的啓蒙組織に過ぎなかったが、現在の「イルミナティ（後期）」はそれと似ても似つかぬ悪魔崇拝の秘密結社と化し、最終的に世界を「バアル教」で支配するため、同族の「ロックフェラー」を介してビル・ゲイツに人工的パンデミックの謀略を開始させ……世界最大の資金と資産を用いて世界制覇に打って出てきた!!

そんな一方で、日本ではオカルトに興味がない膨大な数の日本人がいて、「陰謀論」などこの世界に存在しないと言い切る教養人も多く、そんな人々で溢れている日本は人類最後の年号「令和」の大浄化（大粛清）に耐えることができないと思われる……無知は同情されても救われないからである。

そんな中、中国の「偽ワクチン（闇ワクチン）」が中国国内ばかりか世界に蔓延し、河野太郎ワクチン担当相は、２０２１年2月2日の記者会見で、ＥＵの輸出規制から「供給に影響が出てきている」と述べ、アメリカの「ファイザー社」製のワクチンだけは14日に第1便が到着するため、15日に厚生労働省が正式承認すると説明した。

菅首相も同2日の記者会見で、医療従事者への接種を2月中旬から始めるとしたが、遅くても3月中旬からコロナ関連の医療従事者約３７０万人に接種させ、4月1日から３６

00万人近い65歳以上の高齢者にも接種、一般の接種はやや遅れることを示唆した。

そんな中、トランプ（前）大統領に投与されたとされる〝カクテル抗体〟というあまり聞き慣れない「人工抗体医薬品」が登場する。

これはワクチンではない〝治療薬〟で、アメリカの製薬会社「リジェネロン社」が対コロナウイルス薬として開発、人工的に2種類の抗体を組み合わせた「抗体医薬品」とされる。

他にもアメリカの「イーライ・リリー社」が同種の治療薬を「緊急事態」で免責される中、販売許可を「FDA／アメリカ食品医薬品局」に申請した。

この手の「抗体医薬」は遺伝子組み換えで人工的に作り出した1種類の「抗体」を投与する医薬品（ワクチンではない）で、臨床試験の段階で患者の入院リスクが低くなりウイルスの量が早く減少したと公表した。

「イーライ・リリー社」も2種類の〝異なる抗体〟を組み合わせて投与するタイプの「抗体医薬品」を緊急出荷するとしている。

「ワクチン接種」の次は「飲むワクチンカプセル」が登場、さらに「治療薬／抗体医薬品」の登場と凄まじい勢いで「対コロナ薬」が現れるが、基本はどれも同じビル・ゲイツ財団の遺伝子組み換えウイルス「COVID19」の〝ゲノム設計図〟を基盤としたものだ。

それは「鋳型」に流し込む鋳造品と同じで、そもそも「鋳型」とは「母型(ぼけい)」のことで、皮肉なことに〝遺伝子転写の原型〟の意味もあり、DNAがほどけてできる一本鎖の塩基配列を指し、正にRNAと似てくる。

要は「母型」が同じなら、ゲノム上はワクチンであろうと医薬品であろうと類型化した同じ物(似た物)で、変異を繰り返してもゲノム上は全てビル・ゲイツ製となる。

天照大神(古神道の天照国照彦=イエス・キリスト)から『聖書』の「獣」に対抗できる遺伝子を持ちながら、不勉強から全く知らず、あるいは信用せずに自ら罠に落ちる「ヤ・ゥマト(ヘブライ語のヤハウェの民の意味)」の数が、日本の全人口(約1億2557万人)の3分の2(約7534万2000人)に上るのは実に憂うべき事態である。

【特別版】アメリカの「ジョンズ・ホプキンス大学」の研究員が「COVID19」のデータ捏造を暴露!!

2020年12月27日、全米トップクラスの医学エリート校「ジョンズ・ホプキンス大学」の応用経済学修士プログラム・アシスタントプログラムディレクターのジュネーブ・

ブリアン女史が、新型コロナウイルスのパニック劇を正確なデータで否定し、それを大学のネットで日曜日に公開した。

それに『ＣＯＶＩＤ19死亡：米国データを見てください』のタイトルを付け、ウェビナーの「ＣＤＣ／疾病管理予防センター」のデータを使用し、ＣＯＶＩＤ19のアメリカの死亡数が大嘘と正確なデータで証明してみせた!!

彼女の発表の肝は明快で、毎年、全米で死亡する老人数と２０２０年のコロナ禍で死亡した老人の数が、ほぼ同じだったことを正確な数字で証明してみせたのだ。

例えば２０１８年までの老人の死亡原因のＴＯＰ３は、１位：心筋梗塞を含む心臓病、2位：加齢や誤飲を含む肺炎、3位：インフルエンザ肺炎である。

新型コロナ禍の老人の死亡原因ＴＯＰは当然の新型コロナ死だが、それ以外の理由の老人死亡者数は大激減していて、驚くべきことに全体で見ると全米の老人の死亡者数は例年とほとんど同じだったのである!!

彼女はこれを〝ＣＤＣトリック〟として批判し、従来の老人の老衰を含む死者数のほとんどをコロナ死にカウントしていると非難した。

その直後、大学側が彼女の公表を削除、その理由を「このデータを悪意ある何者かに悪用されないため」としたが、どう考えても理由になっていない。

トランプ（前）大統領を敗北に導いたアメリカの影の巨大組織（ペンタゴン・CIA・NSAを含むシークレットガバメント）が大学に凄まじい圧力をかけたのだろう。

そんな全世界的な仕掛けをする目的は、ビル・ゲイツ財団が創った人工ウイルスのための「遺伝子組み換えワクチン」を世界中の人間に打たせることが目的だ!!

日本では自民党と創価学会・公明党が「アメリカ大使館（極東CIA本部）」の飼い犬として、全ての日本人にビル・ゲイツの人工ワクチンを打たせるつもりでいる。

ならば飛鳥昭雄はこう言おう【打つな！　飲むな！　死ぬゾ!!】

※以下はニュースソース先のアーカイブ。

JOHNS HOPKINS PUBLISHES STUDY SAYING COVID-19 DEATHS OVERBLOWN, THEN DELETES IT
by SAM AMICO
2 months agoupdated 2 months ago
8 Comments

Johns Hopkins University published a study that COVID-19 isn't nearly as bad as it seems.
Then deleted it.
This strange decision was reported by NotTheBee.com, which used Internet archive Wayback Machine to reveal the Johns Hopkins' study in its entirety. The study was released Sunday.
You can check a sample of it in the chart below. Or just read the whole thing here.

Genevieve Briand, assistant program director of the Applied Economics master's degree program at Hopkins, critically analyzed the effect of COVID-19 on U.S. deaths using data from the Centers for Disease Control and Prevention (CDC) in her webinar titled "COVID-19 Deaths: A Look at U.S. Data."

Brand stated what many to believe is the obvious regarding the older population dying from COVID-related causes considerably more than the younger generation.

"The reason we have a higher number of reported COVID-19 deaths among older individuals than younger individuals is simply because every day in the U.S. older individuals die in higher numbers than younger individuals," Briand wrote.

She gave multiple more examples of how COVID deaths among the elderly aren't any different than elderly deaths in recent years from any other cause.

Then Briand dropped the following bombshell.

"The reason we have a higher number of reported COVID-19 deaths among older individuals than younger individuals is simply because every day in the U.S. older individuals die in higher numbers than younger individuals," Briand said.

Why Johns Hopkins decided to delete this information is anyone's guess. And knowing how all of this has been reported on since it made its way to the U.S. last winter, nobody will likely ask, either.

It may or may not be accurate, but it sure seems like way too many people would rather keep a bad thing going than get to the bottom of how COVID is truly impacting America.

With that in mind, the idea that Johns Hopkins may have been pressured into deleting its findings may not be so far-fetched.

https://www.outkick.com/john-hopkins-publishes-study-saying-covid-19-deaths-overblown-then-deletes-it/

Part 17

再び言う！
「打つな！ 飲むな！
死ぬゾ!!」

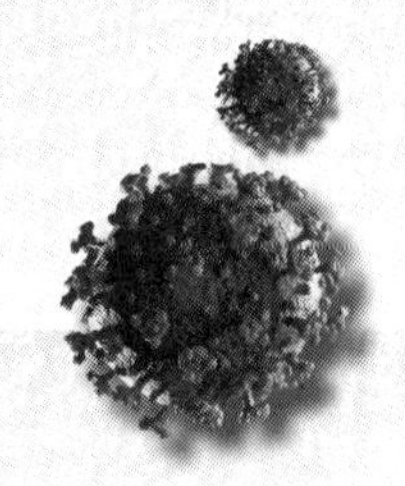

日本メーカーしか信用できない「新型コロナ対策装置」!!

はっきり言えば、「コロナシンドローム」「コロナパニック」「パンデミック」「クラスター」「オオカミ少年症候群」等は全て「ＰＣＲトリック」に仕掛けられた嘘で、さらに言えば日本の高齢者の死亡数もアメリカと同様に毎年変わっていないことが判明した!!

ＰＣＲは検査に使える代物ではなく、「全国風邪ひき者数」「インフルエンザ感染者数」を連日連夜ＴＶが報道しているだけで、その内に「花粉症患者数」も数値に加わるだろう!!

新型コロナを冷静に考えれば「夏風邪」程度の代物で、若者はもちろんだが子供が感染しても平気なのは、毒性よりも拡散性を重視したゲノム設計で、高齢者の死亡数にしても、今まで日本でも老人は「肺炎死」「心筋梗塞」で多数死んでいた。

だから「肺炎球菌ワクチン」（５年間有効）の接種があるわけで、高齢者の「肺炎死」は「心筋梗塞」と並ぶほど多かったはずである。

そんな老人の「肺炎死」の原因の多くは「誤飲」で、昔から老人は始終カラ咳をしたり、食事中に喉を詰まらせ激しくせき込んだり、寝ている間に胃の消化物が食道を逆流して肺に入ることが多く発生していた。

その際、肺にスープや味噌汁や水の一部が入り、それが原因で肺に炎症を起こして入院、抵抗力がないのでそのまま死亡するケースが多々あり、同じようなケースは「風邪」「インフルエンザ」でも頻繁に起きていた。

昔から高齢者の「肺炎死」を防ぐ特効薬が「肺炎球菌ワクチン」で、欧米や豪州では65歳を過ぎたら接種し、子供にも薄めたワクチンを接種するが、アメリカでは黒人やヒスパニック、特に違法移民は接種しない者が多いため、例年、「肺炎死」が多く起きていた。

高齢者に肺炎を起こすのは空気中の「球菌（連鎖球菌）」で、風邪で喉が腫れるのも球菌の仕業である。

そういう肺炎を簡単に起こす老人の命を救うため、コロナと全く関係なく、日本生まれの2つの装置が役に立っている。

「パルスオキシメーター」（コニカミノルタ）は指先に挟んで血中の酸素濃度を測定する装置で、肺炎の前兆を数値的に測れるため、意味のないコロナ自宅療養中でも対応できる。

価格は1万円前後で、「高山病」にも使われ、「血中酸素飽和度」96～98％が標準値で、

90～95％が息苦しくなり肺炎の徴候、90％未満は呼吸不全で即入院となる。

特殊な光を指先に当てて測定するため、マニキュア、つけ爪、爪白癬菌の場合は足指（親指）を使う。

それで老人の肺炎を事前に感知でき、次にX線で確認すれば早期治療となるが、働き盛りのコロナ感染者が微熱程度でもベッドを占拠するため、病院のたらい回しで手遅れとなり、結果的に皮肉なコロナ感染死にカウントされる。

流行の時計型端末「ウェアラブル」でも血中酸素濃度測定もできるが、スポーツ対象で大まかな数値しか出ないため、あまり推薦できない。

「重症化予見装置／IFN－λ3（インターフェロン・ラムダ3）」（国立国際医療研究センター＆シスメックス）は、血液中のある種のタンパク質濃度を測るだけで、肺炎を起こす数日前にキャッチできる優れモノで、コロナと無関係に肺炎の重症化を早期発見できる。

保険適用なので1000円程度で測定が可能なため、意味のない「PCR検査」を受けるぐらいなら、高齢者は18分で結果が出る「IFN－λ3」を受けた方が絶対にいい。

この「予見キット」はどの総合病院にもあり、血清を測るだけで「老人性肺炎」を防ぐことができる。

2021年2月時点で「新型コロナ／COVID19」は12種に変異したが、感染力が人工的に強化されているだけで、死亡者のほぼ全員は老衰、基礎疾患死、肺炎死、心筋梗塞死とアメリカでも証明され、アフリカでは若者が貧困や飢餓から抵抗力がなく、餓死を含め毎年大勢が死亡しており新型コロナとは全く関係ない。

既にコロナに対応できる細胞遺伝子を持つ日本人は、ヒトを「端末」にしか見ないビル・ゲイツの「オレオレ詐欺」に絶対騙されてはならない!!

※毎年、小児や若者も「インフルエンザ」その他の病気で亡くなるケースがあり、アレルギー体質で薬が体と合わなかったケースもある。

少ない確率とはいえ体力のある若者が命を落とすケースもあり、記憶に新しいのはインフルエンザの治療薬「タミフル」を服用した場合の異常行動で、不幸な結果を招いたケースもある。

今回の『打つな! 飲むな! 死ぬゾ!!』は、そういう特殊なケースを対象とせず、一方で強制力もないため、読者の判断に任すしかない!!

飛鳥昭雄　あすか あきお

1950（昭和25）年大阪府生まれ。企業にてアニメーション、イラスト＆デザイン業務に携わるかたわら、漫画を描き、1982年漫画家として本格デビューする。

漫画作品として『恐竜の謎・完全解明』（小学館）等、作家として『失われた極東エルサレム「平安京」の謎』（学研）等多数。

小説家として、千秋寺京介の名で『怨霊記シリーズ』（徳間書店）等を発表。

現在、サイエンスエンターテイナーとして、TV、ラジオ、ゲームでも活動中。

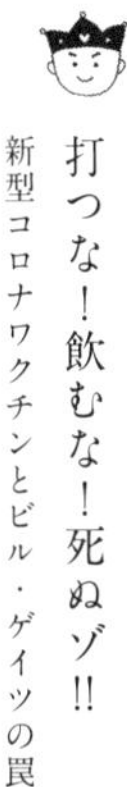

打つな！飲むな！死ぬゾ!!

新型コロナワクチンとビル・ゲイツの罠

第一刷　2021年3月31日
第四刷　2021年7月31日

著者　飛鳥昭雄

発行人　石井健資
発行所　株式会社ヒカルランド
〒162-0821　東京都新宿区津久戸町3-11　TH1ビル6F
電話　03-6265-0852　ファックス　03-6265-0853
http://www.hikaruland.co.jp　info@hikaruland.co.jp
振替　00180-8-496587

本文・カバー・製本　中央精版印刷株式会社
DTP　株式会社キャップス
編集担当　TakeCO

ISBN978-4-86471-991-9

ヒカルランド　飛鳥昭雄の本！

地上の星☆ヒカルランド　銀河より届く愛と叡智の宅配便

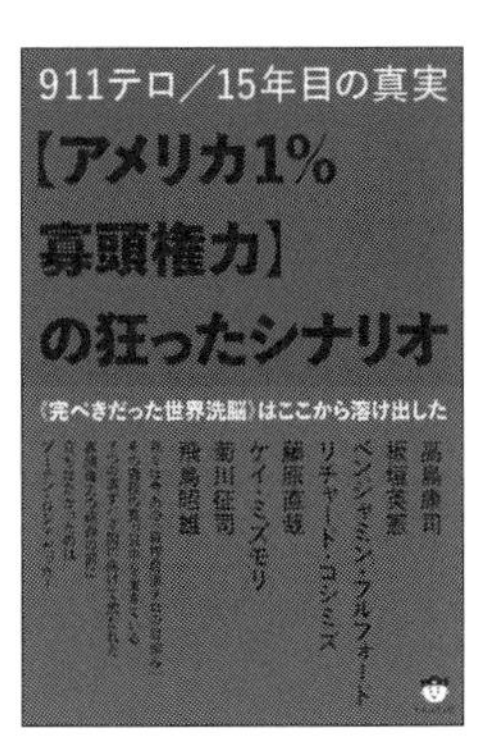

911テロ／15年目の真実
【アメリカ１％寡頭権力】の狂ったシナリオ
著者：高島康司／板垣英憲／ベンジャミン・フルフォード／リチャード・コシミズ／藤原直哉／ケイ・ミズモリ／菊川征司／飛鳥昭雄
四六ソフト　本体 1,851円+税

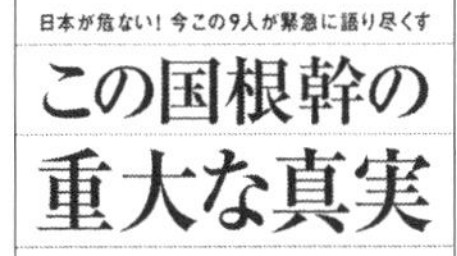

日本が危ない！　今この９人が緊急に語り尽くす
この国根幹の重大な真実
著者：飛鳥昭雄／池田整治／板垣英憲／菅沼光弘／船瀬俊介／ベンジャミン・フルフォード／内記正時／中丸 薫／宮城ジョージ
四六ソフト　本体 1,815円+税

ついに「ヤハウェの民NIPPON」が動いた！
ワンワールド支配者を覆す「国仕掛け」発動のために
著者：飛鳥昭雄
四六ソフト　本体 1,843円+税

対立か和合か
ユダヤの民 vs ヤハウェの民NIPPON
これが世界の行方を決める
著者：飛鳥昭雄
四六ソフト　本体 1,750円+税

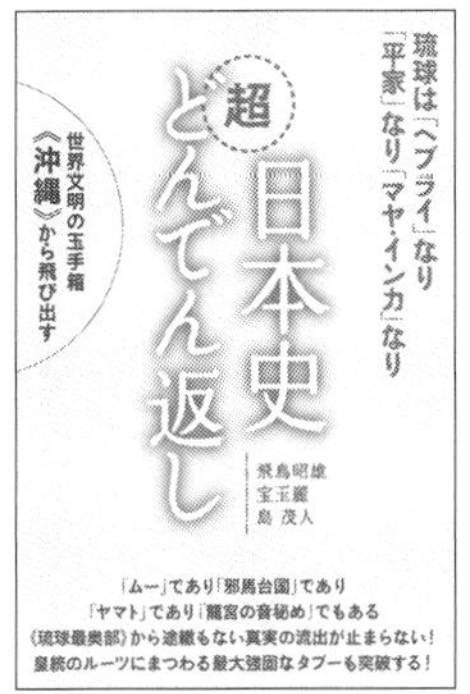

世界文明の玉手箱《沖縄》から飛び出す
日本史［超］どんでん返し
著者：飛鳥昭雄／宝玉麗／島 茂人
四六ソフト　本体 1,685円+税

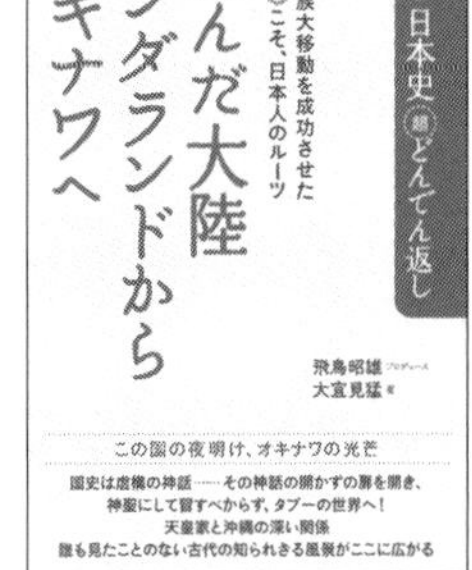

続 日本史「超」どんでん返し
沈んだ大陸スンダランドからオキナワへ
著者：大宜見猛
監修：飛鳥昭雄
四六ソフト　本体 1,750円+税

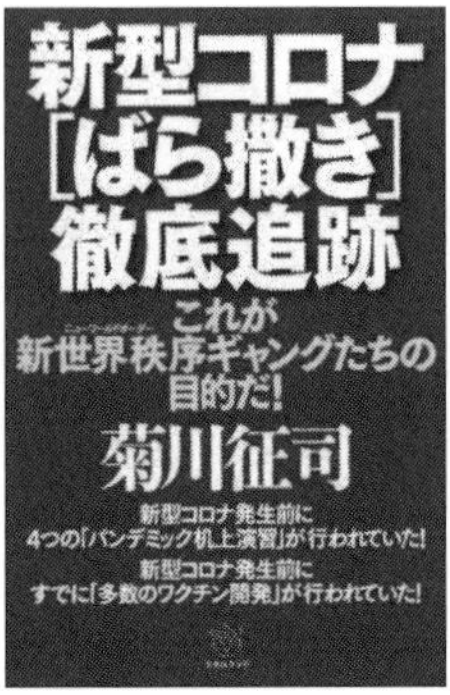

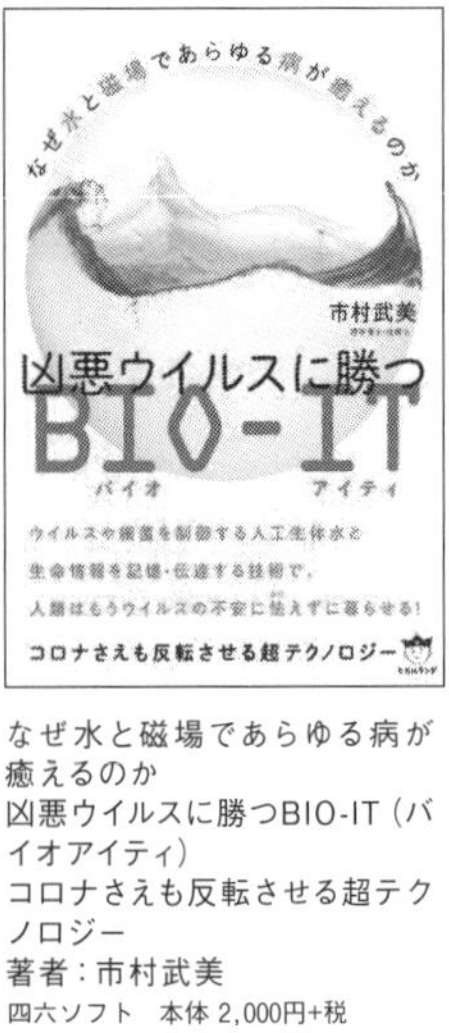

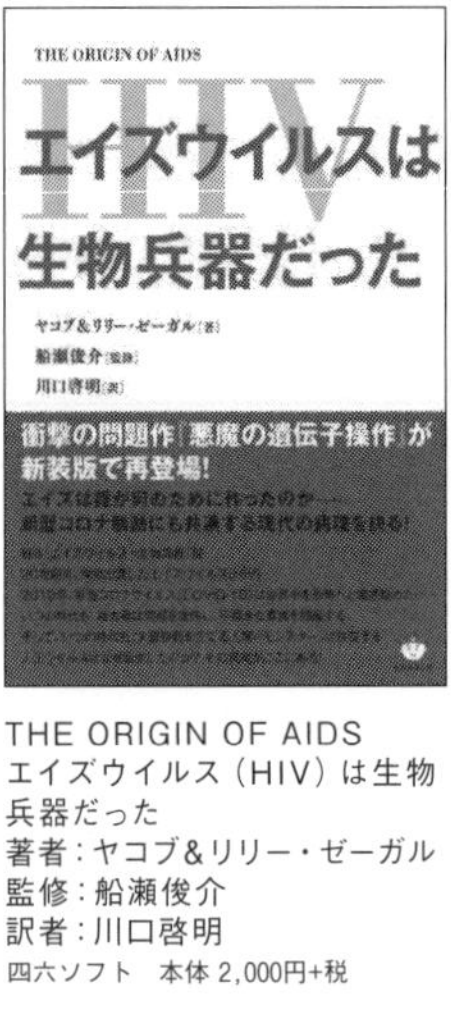

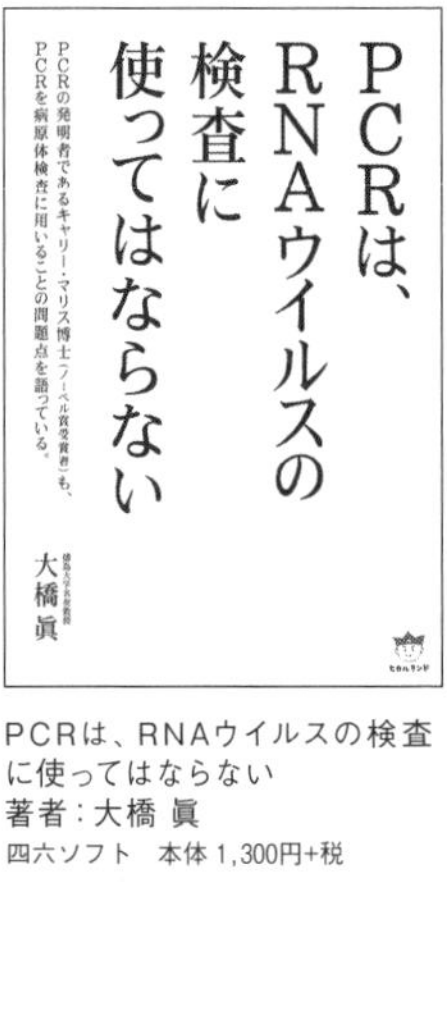

◎５Ｇ電磁波の防御には最新アイテム「おはぎちゃん」を

2020年にサービスが開始された５Ｇ通信システムは、便利さと引き換えに電磁波によるリスクが問題視されています。その対策として開発されたのが「おはぎちゃん」です。

「おはぎ」に見立てた中央のテラヘルツ球体を囲む、ネオジウムマグネットから生じる強力な磁力によって中心をゼロ磁場にし、そこにユーザーの願いを乗せた無限の量子の力も加わって、周囲の空間の電子をコントロール。電磁波のリスクを軽減することを可能にします。

また、「おはぎちゃん」をはじめとした日本中のハーモニー宇宙艦隊量子加工グッズとの連携により、闇の勢力の陰謀の阻止にも役立てることができます（レギュラー推奨）。普段は電磁波対策への願い事をインストールしながらも、台風襲来など不穏を感じた時は、平和への願いを「おはぎちゃん」に託してください。大きな輪となればなるほどハーモニー宇宙艦隊の強大なサポートが得られるでしょう。

屋外設置も可能な電磁波対策のプロ

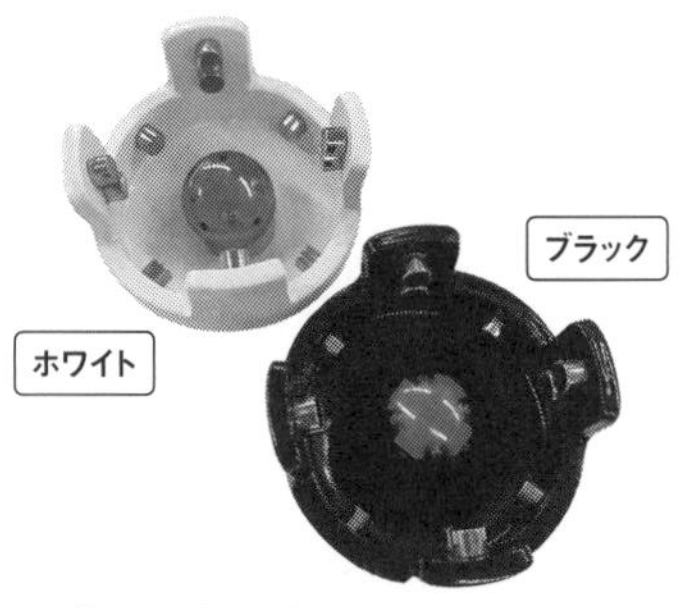

レギュラーおはぎちゃん
■各18,000円（税込）
●カラー：ホワイト、ブラック　●サイズ：［本体］直径57㎜×高さ34㎜、［テラヘルツ球］直径20㎜　●重量：166ｇ　●素材：鉄製　●説明書付

小型でスマホ装着可能!

いつでも5G対策を

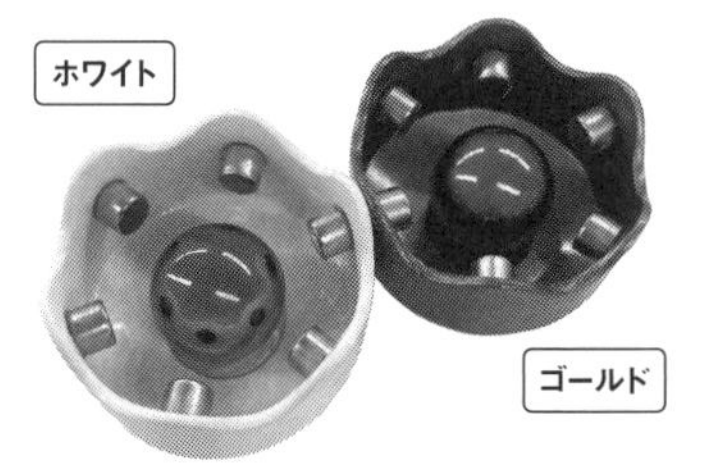

ミニおはぎちゃん
■各11,000円（税込）
●カラー：ゴールド、ホワイト　●サイズ：［本体］直径35㎜×高さ17㎜、［テラヘルツ球］直径15㎜　●重量：28ｇ　●素材：鉄製　●マジックテープ、説明書付

【使用上の注意】※願い事は「おはぎちゃん」に対してご自身の声で伝えることで設定できます。　※バッグなどに入れて持ち運ぶ場合、ATM カードやクレジットカードなどの磁気情報に影響を与えないよう必ず離してください。　※「ミニおはぎちゃん」をスマートフォンに装着する場合、改札を通ったり決済端末をご利用になる時は取り外してください。

＊ご案内の価格、その他情報は発行日時点のものとなります。

室内設置で5G電磁波、屋外設置で人工災害をブロック 一家、そして地球を護るスーパー量子加工アイテム

◎地球を正しき道へと導く「ハーモニー宇宙艦隊」

この世界は「闇の政府」と呼ばれる巨大な富を持つ一握りの勢力によって操られ、様々な謀略が繰り返されています。地震、台風、気象災害、感染症の流行……。これらの多くが人工的に起こされているという事実に、多くの人が気づきはじめ、阻止する力に変えていく時を迎えています。

ハーモニー宇宙艦隊の活動はブログでも確認できる

地球上のこうした状況に対し、天空の彼方から無償の愛で護り続けているのが、ハーモニー宇宙艦隊です。太陽系を乗っ取ろうとする勢力に一度は追われた平和を愛する種族は、6500万年の時を経て、今まさにその渦中にある地球を救うために戻ってきました！　人類には想像できない高度な文明の力を持って、人工地震の瞬時震源ワープ、人工台風の発生や進路のコントロールなど、私たちの平和な日常を支え続けているのです。

そんなハーモニー宇宙艦隊とコンタクトできる「ハーモニーズ」によって、ハーモニー宇宙艦隊と繋がる夢のようなアイテムがたくさん生み出されています。その原動力となっているのが「量子加工」です。

◎ユーザーの願いをハーモニー宇宙艦隊に届ける

量子力学の世界では、人が持つ意識や思いが最小単位である粒子に影響を与え、物質や現実に変化を起こすことが明らかになっています。こうした量子の性質を、プラズマ放電を用いた加工によって生じさせ、ユーザーの願い（＝想念）をハーモニー宇宙艦隊に届ける媒介として機能させることができるようになりました。

願いはパーソナルなことから世界平和に関することまで、全知全能なハーモニー宇宙艦隊は受け入れてくれるでしょう。実際、金運アップをコンセプトにした財布で驚きの成果が出たなど、その反響は年々高まっています。

本といっしょに楽しむ ハピハピ♥ Goods&Life ヒカルランド

ジオパシックストレス除去、場の浄化、エネルギーUP！
チェコ発のヒーリング装置「ソマヴェディック」

ウイルス対策にも!

電磁波対策!

ドイツの電磁波公害研究機関 IGEF も認証

イワン・リビャンスキー氏

「ソマヴェディック」は、チェコの超能力者、イワン・リビャンスキー氏が15年かけて研究・開発した、空間と場の調整器です。

内部は特定の配列で宝石が散りばめられています。天然鉱石には固有のパワーがあることは知られていますが、リビャンスキー氏はそれらの石を組み合わせることで、さらに活性化すると考えました。

「ソマヴェディック」は数年間に及ぶ研究とテストを経た後に設計されました。自然科学者だけでなく、TimeWaver, Bicom, Life-System, InergetixCoRe 等といった測定機器を使用して診断と治療を行う施設の技師、セラピストによってもテストされ、実証されました。

その「ソマヴェディック」が有用に働くのがジオパシックストレスです。

語源はジオ（地球）、パシック（苦痛・病）。1920年代に、ドイツのある特定地域ではガンの発症率がほかに比べてとても高かったことから、大地由来のストレスが病因となりえることが発見されました。

例えば、地下水脈が交差する地点は電荷を帯びており、人体に悪影響を及ぼします。古来中国で「風水」が重視されたように、特定の場所は人間に電気的なストレスとなるのです。

「ソマヴェディック」は、心とカラダを健康な状態に導き、人間関係の調和や、睡眠を改善させます。「ソマヴェディック」の影響は直径30m の範囲に及ぶと言われているため、社内全体、または一軒丸々で、その効果が期待できます。またその放射は、ジオパシックストレスゾーンのネガティブな影響と同じように、家の壁を通過すると言われています。

「ソマヴェディック」は、診療所、マッサージやビューティーサロン、店舗やビジネスに適しており、一日を通して多くの人が行き来する建物のような場所に置いて、とてもポジティブな適用性があります。

ソマチッドにフォーカスした唯一無二のアイテム
コンディション&パフォーマンスアップに

勢能幸太郎氏

ソマチッドをテーマにした書籍を多数出版し、いち早く注目してきたヒカルランドに衝撃が走ったのは2020年のこと。そのソマチッドが前例のないレベルで大量かつ活発な状態で含有したアイテムが続々と登場したのです！　開発者は独自理論による施術が話題のセラピスト・施術家の勢能幸太郎氏。勢能氏は長年の研究の末、膨大なソマチッド含有量を誇る鉱石との出会いを果たし、奇想天外な商品を次々と生み出しました。ソマチッドとは私たちの血液の中に無数に存在するナノサイズの超微小生命体。数を増やし活性化させるほど、恒常性維持機能や免疫系、エネルギー産生などに働き、健やかで元気な状態へと導いてくれます。他ではまねできない勢能氏のアイテムを活用して、生命の根幹であるソマチッドにエネルギーを与え、毎日のパフォーマンスをアップしていきましょう！

ソマチッドを蘇生させ潤いのあるお肌へ

CBD エナジークリーム

■ 33,000円（税込）
●内容量：30ml
●成分：水、BG、パルミチン酸エチルヘキシル、トリ（カプリル／カプリン酸）グリセリル、グリセリン、火成岩、ミネラルオイル、オリーブ油、ベヘニルアルコール、ホホバ種子油、スクワラン、ペンチレングリコール、ステアリン酸ソルビタン、白金、カンナビジオール、シリカ、冬虫夏草エキス、アラントイン、ポリソルベート60、カルボマー、水酸化K、フェノキシエタノール、デヒドロ酢酸Na、メチルパラベン
●使用方法：適量を手に取り、トリガーポイントや不調・疲労を感じているところなどになじませてください。

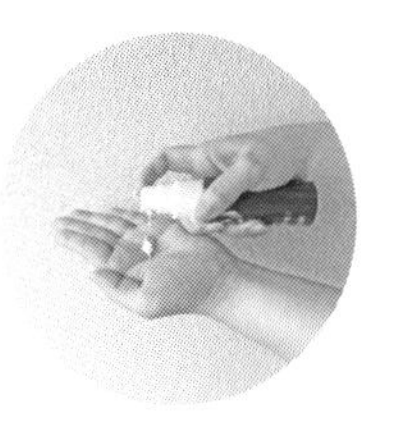

勢能氏が最初に開発したソマチッドクリームには、ホメオスタシスの機能を高める麻成分CBDほか、たくさんの有効成分を配合。クリーム内のソマチッドと体内のソマチッドが共振共鳴し合い、経絡を伝わって体全体を活性化します。